M. Leighton figure en bonne place dans les listes de meilleures ventes de *USA Today* et du *New York Times*. Originaire de l'Ohio, dotée depuis son plus jeune âge d'une imagination débordante, Michelle a trouvé la meilleure façon de laisser libre cours à sa créativité : la fiction littéraire. Dans ses rêves les plus fous, elle s'imagine chevaucher un mustang, dévaler les pentes enneigées d'Aspen ou plonger dans des eaux turquoise en compagnie d'une rock-star ; le tout sans jamais renoncer au confort de son bureau…

www.milady.fr

M. Leighton

DANS LA PEAU

FACE CACHÉE – 1

Traduit de l'anglais (États-Unis) par Évangéline Caravaggio

Milady

Milady est un label des éditions Bragelonne

Titre original : *Down to You*
Copyright © 2012 by M. Leighton
Tous droits réservés

© Bragelonne 2014, pour la présente traduction

ISBN : 978-2-8112-1140-0

Bragelonne – Milady
60-62, rue d'Hauteville – 75010 Paris

E-mail : info@milady.fr
Site Internet : www.milady.fr

À mon mari

Tu m'as soutenue et aimée tout au long de ce périple infernal, et tu as vécu avec moi la période la plus folle et la plus exaltante de ma vie. Merci d'être là. Je suis bienheureuse que tu m'aies gardée avec toi…

À Courtney Cole

Une critique d'enfer, et l'une des meilleures amies dont une femme puisse rêver. Je t'adore, *chica* : dépêche-toi de déménager à côté de chez moi ! Allez, grouille ! Et merci, soit dit en passant…

Aux copines Hellcats

Sans vos lumières nocturnes, ce projet scintillerait d'un moindre feu. Votre amour et votre soutien infaillibles ont été pour moi des bénédictions, et m'ont permis de garder les pieds sur terre tout au long de cette aventure. Je ne remercierai jamais assez Georgia Cates de m'avoir invitée à vous rejoindre.

Je vous aime.

Enfin, encore et plus que tout, merci à Dieu, qui est mon Tout, pour toujours.

Remerciements

Un dernier mot…

Dans la vie, il m'est arrivé de ressentir une telle gratitude, un amour si authentique pour certaines personnes, que « merci » me semblait un mot bien fade pour leur signifier l'intensité de mes sentiments. C'est exactement ce que je ressens aujourd'hui à votre égard, vous qui lisez mes romans. Sans vous, jamais mon rêve de devenir auteur ne se serait réalisé. Je savais qu'il serait immensément gratifiant de travailler dans un domaine qui me passionne. Mais cela est insignifiant comparé au plaisir incommensurable que j'éprouve lorsque j'entends ou lis que vous aimez mes livres, qu'ils vous ont touchés ou qu'ils ont su éclairer un peu votre vie. Aussi, c'est de toute mon âme, du fond du cœur que je vous confesse ma douloureuse incapacité à vous remercier autant que vous le méritez.

J'ai joint cette note à toutes mes histoires, accompagnée d'un lien vers l'un des billets de mon blog que, je l'espère, vous prendrez le temps de lire. J'y exprime ma reconnaissance la plus sincère. Je vous aime toutes et tous : vous n'imaginez pas combien vos messages d'encouragement, vos commentaires et vos e-mails comptent pour moi.

http://mleightonbooks.blogspot.com/2011/06/when-thanks-is-not-enough.html06

1

OLIVIA

J'AI LA TÊTE QUI TOURNE LÉGÈREMENT, MAIS CE N'EST PAS désagréable… J'en ai même oublié le nom de ce que Shawna nous fait servir en boucle depuis tout à l'heure. Quoi qu'il en soit, c'est un vrai délice… et ça dépote un max !

—Bon, il ramène ses fesses, le stripteaseur ? Je suis chaude comme la braise !

C'est Ginger qui hurle. Ginger, c'est la cougar franche du collier et totalement barje qui nous sert de barmaid à Salt Springs, en Géorgie. Elle est déjà sauvage dans son environnement naturel, mais dès qu'on la téléporte dans un nouveau bled, elle se change en authentique tigresse… « Grrr ! »

Elle me regarde et sourit. Baignés par la lumière faiblarde, ses cheveux décolorés ont des reflets jaune pisseux, et ses yeux bleu ciel pétillent malicieusement.

Il n'en faut pas plus pour m'inquiéter.

—Quoi donc ? je lui demande, un peu dans les vapes.

—Je me suis arrangée avec le directeur pour que Shawna soit contrainte d'aider le stripteaseur à s'extraire de ses sapes…

Elle glousse comme une succube, et je ne peux m'empêcher de pouffer. Elle est pleine comme une outre.

—Ryan la tuera s'il apprend qu'elle a déshabillé un autre homme, enterrement de vie de jeune fille ou pas !

—Il ne le saura jamais! Ce qui reste dans la salle V.I.P se passe dans la salle V.I.P.

—Tu veux dire : « Ce qui se passe dans la salle V.I.P reste dans la salle V.I.P » ?

—C'est exactement ce que j'ai dit.

Je ricane doucement.

—OK.

Je glousse à mon tour en la regardant siroter sa boisson –neurotoxique–, et me contente de quelques gorgées d'eau. Il faut bien que quelqu'un garde un semblant de lucidité dans l'assemblée, et j'aime autant que ce soit moi. Qui plus est, ce soir, c'est le soir de Shawna, et je compte bien lui offrir une fête de tous les diables en guise de cadeau de mariage. Or, je doute que lui imposer de raccompagner chez elle une loque imbibée ou de nettoyer ses chaussures pleines de vomi l'aide à apprécier l'événement.

On frappe à la porte de la salle privée, et toutes les têtes se tournent simultanément. Au même instant, les filles se mettent à rire, beugler et siffler à tout rompre…

Mon Dieu, faites que ce soit le stripteaseur et pas un flic…

Les portes s'ouvrent sur un mec d'une beauté à couper le souffle ; probablement le plus canon qu'il m'ait été donné de voir depuis que je m'intéresse aux hommes. Le nouveau venu n'a pas beaucoup plus de vingt ans ; il est très grand, bâti comme un athlète : torse et épaules larges, jambes et bras musculeux, taille fine… Il est tout de noir vêtu. Mais ce qui me fascine le plus, c'est son visage.

Il est beau comme un dieu, merde…

Les traits de ce blond aux cheveux courts frôlent la perfection. Il balaie la pièce du regard, mais je peine à déterminer la couleur de ses yeux. Ils sont sombres, en tout cas. Il ouvre la bouche pour parler, mais, lorsque son regard se pose sur moi, il se fige et m'observe, sans mot dire.

Je reste là, hypnotisée, incapable de me détourner de lui. Dans la lumière qui jaillit derrière lui, il me semble que ses yeux sont d'encre.

Sans cesser de m'observer, il penche imperceptiblement la tête sur le côté.

Je me sens nerveuse. Excitée aussi. Le pire, c'est que j'ignore pourquoi. Je n'ai aucune raison de ressentir la nervosité ou l'excitation. Pourtant, en présence de cet homme, je me sens fébrile, gênée, brûlante...

Nos regards se magnétisent l'un l'autre, ne se lâchent pas. Alors, Ginger se lève, ferme la porte derrière lui, et l'attire plus avant dans la pièce.

— OK, Shawna! C'est l'heure de faire un joli doigt d'honneur à ta vie de jeune fille!

Les filles poussent des hurlements et encouragent Shawna à en faire trembler les murs. La future mariée sourit, mais fait «non» de la tête.

— Pas moyen, les filles! Ce sera sans moi.

Les demoiselles d'honneur se font plus insistantes: deux d'entre elles se lèvent, saisissent Shawna par les bras et la forcent à se mettre debout. La captive se jette en arrière, secoue la tête avec davantage de vigueur.

— Non, non, non! Vraiment, je ne veux pas! Que l'une de vous s'en charge!

Elle commence à agiter les bras pour se défaire de l'emprise des deux hystériques, mais les harpies sont coriaces. Shawna lève alors vers moi des yeux suppliants, et son regard noisette n'est pas difficile à interpréter: elle panique totalement à l'idée de ce qui va se passer...

— Liv, aide-moi!

Je lève les mains, lui mimant tant bien que mal que je vois mal quoi faire, et elle désigne le beau gosse planté derrière Ginger, telle une statue grecque.

— Tu t'en occupes!

— Tu plaisantes? Je ne désaperai pas ce gogo!

— Pitié! Tu sais que je le ferais pour toi!

Et merde...

La garce avait raison. Elle le ferait sans hésiter.

Pourquoi faut-il toujours que la fille la plus timide au monde se retrouve dans ce genre de merdier?

Fidèle à mes habitudes, je réponds à mes propres questions.

Parce qu'elle est bien brave, la petite! Quelle conne je fais…

Je prends une profonde inspiration, me lève et me tourne vers Beau-Gogosse, levant légèrement le menton en signe de défi. Ses yeux charbon sont toujours rivés sur moi…

Au moment où je fais un pas vers lui, il lève à peine un sourcil… Mais c'est suffisant.

Une chaleur troublante m'envahit.

Je ne touche plus jamais à cette saleté de cocktail… Il me fait un drôle d'effet…

Je me sens échauffée, haletante, mais je fais un autre pas dans sa direction…

Beau-Gogosse se dégage de l'emprise de Ginger et se tourne vers moi. Il croise les bras et attend, le sourcil toujours levé, curieux, insolent. Il n'a pas l'intention de me faciliter les choses: à moi de prendre les rênes. Après tout, c'est ce que Ginger avait demandé au directeur…

La musique qui, depuis le début de la soirée, martèle les lieux d'une basse sourde et sexy se fait plus forte. Elle se prête à merveille à la situation… À mesure que je m'approche du démon aux yeux de velours, elle semble ponctuer chaque battement de mon cœur.

Arrivée devant lui, je dois lever la tête pour soutenir son regard. Le colosse dépasse mon mètre soixante-cinq d'une tête au moins…

D'aussi près, je découvre enfin que ses yeux sont bruns. D'un brun insondable… presque noir.

Sulfureux…

Mon manque de contrôle me laisse perplexe, mais les filles me rappellent à la réalité, m'incitant, à grand renfort de cris hystériques, à ôter son tee-shirt. Hésitante, j'observe la surexcitation qui se lit sur leur visage, puis me retourne vers lui. Lentement, il place ses bras en croix…

Il esquisse un sourire. Tout, dans son attitude comme dans ses expressions, traduit le défi.

Il est convaincu que je n'oserai pas. Personne ne croit en mon audace.

C'est précisément pour cette raison que je vais le faire.

Laissant le rythme envoûtant m'envahir, détendre chacun de mes muscles, je feins un sourire assuré et tends les bras, bien décidée à retirer le tee-shirt prisonnier de la ceinture de l'apollon ténébreux.

2

CASH

ELLE EST MAGNIFIQUE, BORDEL…

Avec ses cheveux noirs, ses yeux verts – me semble-t-il –, son corps de petite bombe, et son adorable gaucherie de débutante, elle me donne envie de virer toutes les autres de la pièce.

Ses mains courent autour de ma taille, tirent sur le tissu noir… Son sourire ne la quitte plus. Elle commence à enlever mon tee-shirt…

Je plonge mon regard dans ses yeux hypnotiques. Je ne veux pas qu'elle s'arrête ; je veux sentir ses doigts caresser ma peau. Alors je la chauffe un peu, espérant appâter la panthère qui, je me plais à le croire, sommeille en elle.

—Je suis sûr que tu peux faire mieux que ça…, je lui murmure.

Elle plisse légèrement les yeux, et je retiens mon souffle, curieux de savoir qui de nous deux mène vraiment la danse. Captivé, je la regarde prendre doucement le dessus : ses yeux scintillent, pétillent d'audace. C'est la première fois que je vois le courage métamorphoser ainsi les traits d'une fille. Je la sens déterminée, zélée… Quelque chose en elle refuse de capituler, d'abandonner la lutte : la guerrière a relevé le défi… Il règne une atmosphère plus torride que jamais.

Ses yeux ne quittent plus les miens, tandis qu'elle dénude lentement mon torse. Elle se rapproche subrepticement, et je capte une note de son parfum : il est sucré, délicatement musqué ; terriblement sexy.

Comme elle…

Pour passer mon tee-shirt par-dessus ma tête, elle doit se coller à moi et se mettre sur la pointe des pieds. Je sens ses seins se presser contre mon torse. Je pourrais lui faciliter la tâche… mais je n'en fais rien : j'aime la sentir contre moi. Je veux faire durer le plaisir.

Une fois que je suis torse nu, elle recule et m'observe. Sa gêne est palpable : elle brûle de savourer ce qu'elle voit, mais le désir qu'elle éprouve l'embarrasse un peu. J'ignore pourquoi, mais sa retenue m'excite… Je sais que tous les regards dans cette pièce sont braqués sur moi, sur nous, mais je n'ai conscience que du sien. Ses yeux me fascinent, me caressent comme une langue avide appliquée à stimuler chaque centimètre de ma peau. Comment l'expliquer mieux que ça ?

J'inspire profondément, et ses yeux descendent jusqu'à ma taille, avant de s'aventurer un peu plus bas. Ils s'attardent là, plus longtemps que ce à quoi je m'attendais, mais moins que je l'aurais aimé.

Je commence à durcir…

Surprise, elle ouvre un peu plus les yeux, et sa bouche laisse échapper un bout discret de sa langue qu'elle passe malgré elle sur ses lèvres… Je dois serrer les dents pour me retenir de l'attirer vers moi et d'embrasser sa petite bouche provocante.

C'est à cet instant que la lumière envahit soudain la pièce entière, dissipant aussitôt la magie.

Une voix s'élève ; celle d'un type carrément en rogne.

—Qu'est-ce que tu fous, merde !

Jason. Je peux comprendre pourquoi il l'a mauvaise.

Je peine à abandonner les yeux de la brune : ils abritent une excitation timide, gênée, qui me donne envie de savoir jusqu'où tout cela aurait pu aller… Mais je m'arrête là. Je détache mon regard du sien, me tourne vers Jason, puis observe une à une les hyènes salivantes aux quatre coins de la pièce.

Grillé.

Et merde… Ça promettait d'être divertissant…

Je souris aux visages affamés tournés vers moi.

—Mesdemoiselles, je vous présente Jason. C'est lui qui va s'occuper de vous ce soir.

Tous les yeux se tournent vers lui tandis qu'il ferme la porte et s'approche de moi. Je regarde la fille qui tient mon tee-shirt dans les mains. Elle est troublée. À juste titre.

—Comment ça, il va s'occuper de nous? me demande-t-elle, perplexe.

Je ne réponds pas tout de suite : elle va comprendre bien assez tôt.

Elle se tourne vers Jason, tâchant de comprendre ce qui vient de se passer.

—Bonsoir mes beautés! lâche Jason, enthousiaste. Laquelle d'entre vous est la future mariée?

Je lis sur le visage de la fille son trouble sitôt qu'elle comprend la situation.

Elle se tourne de nouveau vers moi, les sourcils froncés.

—Si c'est lui, le stripteaseur, vous êtes qui, au juste?

—Cash Davenport. Le propriétaire du club.

3

OLIVIA

JE NE PEUX RIEN FAIRE D'AUTRE QU'OBSERVER LE PROPRIÉTAIRE des lieux, bouche bée. Je déploie des efforts surhumains pour ne pas aller me terrer sous une table. Je n'ai jamais eu aussi honte de toute ma vie…

J'entends les filles glousser en matant Jason, mais cela ne fait qu'effleurer mon esprit : ma concentration est tout entière focalisée sur le type qui se tient devant moi.

Soudain, la colère s'empare de moi.

— Pourquoi est-ce que vous m'avez laissée faire ? Pourquoi est-ce que vous ne vous êtes pas présenté plus tôt ?

Il sourit.

Le salaud, il sourit !

Je marque un temps d'arrêt en constatant combien son sourire est irrésistible, puis une nouvelle vague d'humiliation m'envahit et anéantit mes élans libidineux.

— Pourquoi je vous ai laissée faire ? Peut-être parce que vous laisser me déshabiller était franchement agréable ?

— Agréable ? C'était surtout déplacé pour un professionnel !

— Il me semblait que vous aviez demandé un stripteaseur, non ? Quelle importance, que ce soit moi ou un autre ?

— Ce n'est pas la question ! Vous nous avez trompées en pleine connaissance de cause !

Il se met à ricaner. *Mais quel culot !*

19

— Je me suis engagé à vous envoyer un stripteaseur volontaire, pas un stripteaseur honnête.

Je n'en reviens pas ; ce type est d'une insolence rare !

Il croise les bras avec une incroyable arrogance, comme s'il avait oublié qu'il se trouvait torse nu devant moi. Le geste attire mon regard sur le tatouage qu'on distingue sur ses pectoraux bombés et provocants. Si j'ai du mal à déterminer ce qu'il représente, je remarque qu'il s'étend au-delà de son épaule gauche, ses lignes d'encre disparaissant dans son dos comme autant de doigts effilés et ténébreux.

Il se racle la gorge, et je lève aussitôt les yeux vers lui. Son sourire, plus franc que tout à l'heure, attise de nouveau ma colère. Ce type me trouble d'autant plus qu'il se tient là, devant moi, son torse d'athlète offert à mon regard.

— Vous pourriez au moins vous rhabiller.

— Vous pourriez au moins me rendre mon tee-shirt, dans ce cas.

En baissant les yeux, j'aperçois le tee-shirt noir qui pend de mes poings serrés. Furieuse, je le lui jette au visage, mais il le saisit au vol avant que celui-ci atteigne sa cible.

Enfoiré !

Le plus étrange, c'est qu'alors même que je fulmine, je me demande pourquoi tout cela m'affecte à ce point. Je suis à fleur de peau, c'est indéniable.

— Eh ben ! Enflammée comme vous êtes, il aurait peut-être mieux valu que ce soit votre top qui tombe, lance-t-il en enfilant son tee-shirt.

— Ah ? Et qu'est-ce que ça aurait changé, au juste ?

Mis à part créer une situation dix fois plus gênante…

Il marque une pause et m'adresse un regard insolent et terriblement sexy qui m'affecte plus que de raison.

— Disons que vous en auriez eu pour votre argent, et que vous seriez nettement plus souriante à l'heure qu'il est.

La seule pensée de cette scène m'assèche la bouche : son corps pressé contre le mien, tandis qu'il retire mon tee-shirt, puis caresse ma peau, ses lèvres si proches qu'il me suffirait de tirer légèrement la langue pour les goûter. Ce fantasme inopiné suffit à calmer ma colère.

La bouche ouverte, je ne peux plus détacher mon regard de lui. Une fois rhabillé, il fait un pas dans ma direction. Je ne bouge pas d'un pouce. Son sourire perd en moquerie, se fait séducteur ; mes jambes menacent de se dérober. En plus d'être pétrifiée, je me sens terriblement excitée. Il n'arrange pas mon cas en se penchant pour murmurer à mon oreille…

— Tu ferais mieux de fermer cette bouche ; je suis à deux doigts de t'embrasser et de te donner une bonne raison de te sentir aussi brûlante que gênée.

Je déglutis. Je suis choquée, à vrai dire… Pas par ses paroles, mais parce que je meurs d'envie qu'il mette sa menace à exécution ; mon ventre s'affole à cette seule pensée.

Il se redresse et baisse les yeux vers moi. Instinctivement, je me pince les lèvres.

Il le remarque.

Merde !

Je lis une certaine déception sur son visage et, de façon assez perverse, cela me fait du bien.

— Une prochaine fois, peut-être, lance-t-il en m'adressant un clin d'œil.

Il se racle de nouveau la gorge, recule d'un pas, et tourne la tête vers la gauche.

— Mesdemoiselles, salue-t-il les autres filles en guise d'au revoir.

Mais aucune ne s'est attardée sur lui, trop occupées qu'elles sont à reluquer Jason qui, torse nu, chauffe Shawna avec un zèle indécent. Le propriétaire me lance un dernier regard et, les yeux brillants, se fend d'un « madame » troublant.

Après un bref hochement de tête, il se retourne, ouvre la porte, sort de la pièce et referme le battant en silence.

Jamais de ma vie je n'ai eu à ce point envie de me lancer à la poursuite de quelqu'un.

J'entrouvre les lèvres, m'attendant à sentir des poignards s'abattre sur mon crâne, mais le franc soleil de début septembre qui darde ses rayons à travers ma fenêtre se montre plutôt clément. Pas de gueule de bois pour moi : enfin une bonne nouvelle.

Ce qui me torture, en revanche, c'est de repenser à l'humiliation de la veille. Les images jaillissent sans prévenir. L'image de Cash, le propriétaire du club, s'impose à mon esprit. Je roule sur le ventre et enfouis mon visage dans mon coussin pour tenter de chasser les détails qui déferlent dans ma tête : grand, une carrure de dieu grec et un visage d'une beauté telle que j'en suis encore secouée. Et son sourire… à en crever de désir.

Ce qu'il était canon, merde !

Encore maintenant, j'aurais aimé qu'il m'embrasse. C'est ridicule, mais cela aurait rendu ma débâcle un peu moins vaine.

Sans cesser de me fustiger, je me retourne et rive mon regard au plafond : je suis assez futée pour me rendre compte que mon pire défaut m'a joué un nouveau tour. Rien que pour ça – pour mon cœur qui s'emballe dès que je pense à ses yeux sombres me défiant de le déshabiller, pour la chaleur qui m'envahit quand je pense à ses lèvres sur les miennes –, je dois me raisonner et me convaincre que je serai bienheureuse de ne jamais le revoir. Ce type incarne ce dont j'ai autant besoin dans la vie qu'un trou dans la tempe : une nouvelle histoire de cœur avec un bad boy…

Comme chaque fois que je me surprends à me remémorer mes désastreuses histoires de couple, je repense à Gab. Cash lui ressemble beaucoup : arrogant, sexy, un charme fou. Sauvage. Rebelle.

Irrésistible.

Je serre les dents, m'extirpe du lit et me dirige vers la salle de bains en prenant soin de chasser Gab de mes pensées : ce connard ne mérite pas que je lui consacre une seconde de plus.

Je m'asperge le visage d'eau froide, autant de fois que nécessaire pour me sentir de nouveau humaine, puis me rends vers la cuisine d'un pas mal assuré. Arrivée dans le salon, je n'accorde pas la moindre attention à la déco ultrachic agencée au millimètre au milieu de laquelle j'évolue : cela fera bientôt deux semaines que ma coloc est partie et que j'ai dû emménager avec Marissa, ma cousine pleine aux as. Je commence à avoir l'habitude de m'accommoder du quotidien des autres.

Enfin, pas toujours..., me dis-je en m'arrêtant quelques secondes devant l'horloge à deux mille euros accrochée au mur.

Il est presque 11 heures. Je suis un peu à fleur de peau en entrant dans la cuisine, agacée d'avoir passé une bonne partie de ma journée au lit, et le fait de surprendre Marissa assise sur le plan de travail, ses longues jambes nues enlaçant un type perché sur un tabouret, ne m'aide pas à me calmer.

Le mec aux cheveux blond cendré porte une fine chemise en lin sous laquelle on devine un torse musculeux. Je prends soudain conscience de ma tenue – boxer et débardeur – et de ce à quoi je ressemble : cheveux bruns ébouriffés, yeux verts fatigués et mascara brouillon... J'envisage de retourner droit dans ma chambre, mais trop tard : Marissa m'interpelle.

— La Belle au Bois dormant s'est réveillée ! lance-t-elle en m'adressant un sourire radieux.

Je me méfie aussitôt.

Marissa n'est jamais aimable avec moi. Jamais. Pour tout dire, elle est l'archétype de la peste friquée : pourrie, hautaine et moqueuse. Si j'avais eu la possibilité d'habiter avec quelqu'un d'autre, n'importe qui, je me serais jetée dessus. Non que je ne lui sois pas reconnaissante de m'accueillir... Je le montre d'ailleurs assez en payant une partie du loyer – chose dont, elle-même, laisse son père se charger – et en ne l'étranglant pas dans son sommeil. J'estime que c'est plutôt généreux de ma part...

— Bonjour ? me permets-je de lancer à l'inconnu d'une voix éraillée.

Le blond aux épaules de hockeyeur se retourne vers moi, et pose sur moi un regard brun insondable. Je me fige, le souffle court.

C'est Cash. Le propriétaire du club.

Ma bouche s'entrouvre. J'ai la gorge serrée. De fait, je suis surprise et confuse, mais je suis surtout stupéfaite de constater combien il est encore plus séduisant à la lumière du jour. J'ai mis mes fantasmes de la veille sur le compte de l'alcool et de notre proximité troublante, tandis que je retirais son tee-shirt…

Mais, de toute évidence, je m'étais fourvoyée. Troublée, je ne sais comment réagir.

— Qu'est-ce que vous faites ici ?

Il lève un sourcil perplexe.

— Je vous demande pardon ? s'étonne-t-il, avant de se tourner vers Marissa, puis de nouveau vers moi.

— Euh… Nash, l'interpelle Marissa, son visage soudain moins aimable. Tu la connais ?

Nash ? Le copain de Marissa ?

Je suis trop décontenancée pour dire quoi que ce soit, et mon esprit embrumé peine à agencer les pièces du puzzle.

— Je n'ai pas souvenir qu'on se soit déjà rencontrés, non, répond Cash/Nash, manifestement dérouté.

Aussitôt, une vague de colère et d'indignation balaie ma gêne : s'il est une chose que je déteste plus encore que les roublards, ce sont les menteurs. Ils me mettent littéralement en rage.

Pour autant, habituée que je suis à bâillonner mes émotions, je ravale mon irritation sans trop de mal.

— Oh, vraiment ? Et ça t'arrive souvent d'oublier les filles qui te désapent ?

Mon passage soudain au tutoiement reflète assez fidèlement mon agacement. Toutefois, sans paraître affecté le moins du monde, il soutient mon regard. Une lueur indéterminée scintille dans ses yeux bruns… De l'amusement, peut-être, mais étrangement bienveillant.

— Crois-moi, je pense que je me souviendrais d'une chose pareille.

Marissa descend d'un bond du plan de travail et adopte une posture ouvertement belliqueuse, poings fermés sur les hanches.

— C'est quoi, le plan, là ?

Je ne suis pas du genre à fiche la merde dans un couple – ce qu'ils se disent ou se cachent, c'est leur histoire –, mais cette fois, c'est différent. Pourquoi ? Je ne sais pas. Mais c'est différent...

Peut-être parce qu'on est cousines ?

Mais je n'y crois pas une seule seconde : Marissa et moi n'avons pas la moindre affection l'une pour l'autre. Une autre pensée me traverse l'esprit : je suis particulièrement vexée que le type auquel j'ai pensé à mon réveil ne se souvienne même pas de moi. Pour autant, je me persuade que c'est ridicule et reviens à la réalité.

— Disons, expliqué-je en me tournant vers Marissa, que Nash, ici présent, s'est incrusté hier soir pendant l'enterrement de vie de jeune fille de Shawna en se faisant passer pour le propriétaire de la boîte, un certain Cash.

Je me tourne alors vers l'imposteur, incapable de m'exprimer autrement que sur un ton moqueur.

— Et toi, franchement : Cash et Nash ? Tu as frôlé la méningite en jouant de la consonne ! Tu as quoi, quatre ans ?

Je m'attends à ce que Marissa pique une crise et à voir Cash/Nash essayer de disparaître sous une chaise – s'il n'a pas le culot de s'embourber un peu plus dans ses mensonges –, mais rien de tout cela n'arrive... Et le moins que je puisse dire, c'est que ce qui se passe après ma tirade est particulièrement vexant : ils éclatent de rire.

J'écarquille les yeux, interdite, mais cela ne semble qu'intensifier leur amusement. J'enrage.

Cash/Nash finit par prendre la parole.

— Marissa ne t'a sans doute jamais dit que j'avais un frère jumeau, donc...

4

NASH

J'observe, captivé, la palette d'émotions qui défilent sur le visage superbe de cette fille : confusion, colère, indignation, plaisir, confusion encore… Là, il se fige en un masque d'incrédulité.

— C'est une blague ?

— C'est tout sauf une blague. Quel intérêt d'inventer une histoire pareille ?

Ses yeux troublés se refusent à lâcher les miens.

— Donc, toi…, tu es Nash ?

J'acquiesce.

— C'est ça.

— Et tu as un frère jumeau qui s'appelle Cash.

— Exactement.

— Cash et Nash.

Je hausse les épaules.

— Ma mère avait un faible pour le country.

— Et Cash est proprio de l'*Hypnos Club* ?

— Oui.

— Donc, si j'ai bien suivi, toi, tu es l'avocat.

— Techniquement, pas encore, mais ça ne devrait plus tarder.

— Vous jurez que vous ne vous foutez pas de moi ?

Je ris doucement.

— Promis, on ne se fout pas de toi.

Elle se mordille l'intérieur de la joue tout en essayant manifestement de comprendre la situation. *Je doute qu'elle se rende compte à quel point elle est sexy…*

Après avoir recouvré son sang-froid, elle prend une profonde inspiration et hausse un sourcil gêné.

—On peut la refaire, dans ce cas?

Je lui souris.

—Bien sûr.

Elle sourit à son tour; son visage s'illumine, et elle me tend la main.

—Tu dois être Nash, le petit ami de Marissa. Je suis Olivia, sa cousine pas très éclairée.

J'esquisse un nouveau sourire.

—Ravi de faire ta connaissance, Olivia, la cousine pas très éclairée de Marissa.

Pour une fille pas très éclairée, tu illumines étrangement la pièce…

Elle acquiesce, visiblement rassérénée, puis se dirige vers la cafetière. Je fais mon possible pour ne pas la regarder et me focalise sur la magnifique blonde en face de moi. J'ai toujours su apprécier l'élégance et la plastique parfaite de Marissa, mais, ce matin, je voudrais la troquer pour cette petite brune mignonne à se damner tout juste sortie du lit…

OK, Nash… Ça, ça craint!

5

OLIVIA

—Attends, tu te fous de moi ? C'est pas vrai ! bafouille Shawna, la bouche pleine de pièce montée.

Si elle avait vu les météores sucrés qui venaient de jaillir de sa bouche, elle en rirait avec moi. J'ai bien fait de l'accompagner pour cette séance de dégustation : après l'enterrement de vie de jeune fille, c'est sans aucun doute la plus sympathique des festivités qui précèdent le mariage.

—Crois-moi, j'aimerais bien. C'était affreux !

Le seul fait de raconter à Shawna ce qui s'est passé avec Nash suffit à me faire rougir.

—Bon, au moins, ce n'est pas celui des deux jumeaux que tu avais failli agresser sexuellement la veille !

J'assène une petite tape sur l'avant-bras de Shawna.

—Eh, je n'étais sur le point d'agresser personne sexuellement !

—Non, mais tu en crevais d'envie.

—Je…

—N'essaie même pas de mentir, ma petite ! Je te connais comme si je t'avais faite. Vu comme il la jouait *bad boy*, je suis même surprise de ne pas t'avoir retrouvée pendue à son cou, les jambes autour de ses hanches et les lèvres collées aux siennes comme deux sangsues.

—Shawna ! Tu ne serais pas en train de me traiter de dévergondée, là ?

— Dévergondée ? Tu as une carte vermeille pour avoir le droit d'utiliser un mot pareil ?

On pouffe de rire toutes les deux et, quand je remarque que le glaçage rouge bonbon adhère aux dents de Shawna, mes gloussements se transforment en bruyants éclats de rire.

— Rooh, la ferme, je tiens ça de Tracey.

Je parle de ma mère, complètement coincée, qui faisait des crises de tachycardie dès qu'on prononçait le mot « salope » à moins de trois cents mètres.

« Divorce » et « abandon », par contre, ça n'avait pas l'air de l'affoler plus que ça.

— Parle encore de cette garce et je tue quelqu'un !

— J'avoue que c'est assez flippant de t'entendre dire ça avec tes dents toutes rouges : on dirait que tu viens de mâchonner le foie de quelqu'un.

— C'est le cas. Avec des fèves au beurre et un délicieux chianti, dit-elle en imitant de son mieux la voix d'Hannibal Lecter, avant de ponctuer la réplique culte d'un immonde bruit de succion.

On éclate de rire toutes les deux, et la harpie de la boutique nous fusille du regard.

— Mets-la en veilleuse, ma fille : évite de te faire virer d'une boutique de pièces montées un mois avant ton mariage.

Shawna sourit sagement à l'intéressée, puis s'adresse à moi en bougeant à peine les lèvres.

— Si tu as un morceau de charbon, on peut peut-être bloquer cette vieille coincée, lui mettre en suppo, et attendre quelques jours qu'elle nous ponde un diamant, qu'est-ce que tu en penses ?

— Qu'il faut plus de quelques jours pour que le charbon se change en diamant…

— Je crois que plus le cul est serré, plus ça va vite.

Après un regard en coin vers la marâtre, je me retourne vers Shawna.

— Tu as peut-être raison.

—Bon, maintenant que notre organisme est saturé de sucre, et que nos synapses fonctionnent à bloc, fomentons un plan machiavélique pour que tu piques Nash à Marissa. Tu ne pourras me faire plus beau cadeau de mariage que de ridiculiser la pouffiasse prétentieuse qui te sert de cousine.

—Tu dérailles ou quoi ? Hors de question que je pique quiconque à qui que ce soit !

—Et pourquoi donc ? Apparemment, c'est un peu ton fantasme incarné, ce type, non ?

Je soupire.

—Je sais…

Et Nash aussi le sait : en plus d'être terriblement canon, il a un charme dingue et, de toute évidence, il est intelligent, brillant, posé et responsable… En résumé, il est tout ce que ma mère a tenté de m'apprendre à aimer et à traquer. Tout ce qu'elle estimait que mon père n'était pas. Qui plus est, Nash est l'antithèse du mauvais garçon, ce qui reste probablement sa meilleure qualité. Le moins que je puisse dire, c'est que ma mère et moi ne sommes pas d'accord sur grand-chose ; pour autant, concernant le genre de types que je ferais mieux de fréquenter, je pense qu'elle est nettement plus sensée que moi. D'ailleurs, à chaque nouveau petit ami, j'ai apporté un peu plus d'eau à son moulin… Peut-être qu'un homme comme Nash pourrait remettre mon cœur sur le droit chemin, qui sait ? Jusqu'ici, j'ai eu une tendance fâcheuse à m'enticher de beaux salopards…

—Dans ce cas, où est le problème ? Fonce, ma poule !

—C'est plus compliqué que ça… Déjà, je ne suis pas une fouteuse de merde.

Shawna lâche sa fourchette et me lance un regard noir.

—Parce que pour toi, se battre pour ce qu'on désire, c'est foutre la merde ? Provoquer sa chance, essayer d'être heureux, c'est foutre la merde ? Mais tu as raison ! Mieux vaut jouer les martyrs et laisser la vie filer par peur de se planter une fois de plus !

—Essayer de décrocher un diplôme pour aider mon père ne fait pas de moi une martyre.

— Non, mais en abandonner tout le reste et finir par un retour à la case départ – à Trifouilly-les-Oies, en l'occurrence –, si.

— Je n'ai aucune envie de lui infliger un deuxième abandon…

J'ai du mal à contenir mon agacement. Elle est un brin trop incisive.

— Il y a une différence entre abandonner quelqu'un et vivre sa vie librement, Liv.

— C'est ce que Tracey m'a dit un jour. Mot pour mot.

À cela, Shawna n'ose rien répondre.

Réunir l'intégralité de mes cours de compta sur mes deux premières années d'université a été indéniablement une idée de génie. Cela dit, même avec un emploi du temps allégé, aujourd'hui, je me sens lasse sans trop savoir pourquoi. On est vendredi soir, et le week-end commence à peine.

Ça promet… Quelle merde !

J'aimerais que ce ne soit que l'appréhension de rentrer à la maison et de bosser jusqu'à lundi, mais je sais que quelque chose d'autre me tracasse. Le souvenir de cette foutue conversation avec Shawna pendant la dégustation.

« C'est un peu ton fantasme incarné, ce type, non ? »

Je soupire. Chaque jour qui passe lui donne un peu plus raison.

Cette semaine, Nash est venu rendre visite à Marissa tous les soirs. Plus je l'entends parler, plus je le vois rire, plus j'observe ses réactions, plus j'aimerais être de ce genre de fouteuses de merde qui se battent pour obtenir ce qu'elles veulent.

Mais je ne suis pas comme ça. Je laisse ça à Marissa ; elle est douée.

Elle se dispute la première place avec ma mère.

Si je me fais voleuse, Nash sera mon premier butin. Pas de doute là-dessus…

J'entends sa voix grave, tandis qu'il parle à Marissa. La soirée s'annonce bien : ces deux-là vivent au quotidien un vrai conte de fées de jet-setters. Ma vie, par contre, n'a jamais rien eu de bien féerique…

Je resserre ma queue-de-cheval d'un geste si sec que j'en ai presque les larmes aux yeux. Je me regarde dans la glace. Au boulot, Marissa porte une tenue à 1 000 euros et une paire de Jimmy Choo. La mienne consiste en un short noir et un tee-shirt qui arbore fièrement ma servilité à l'égard des clients de la chaîne. Une fille comme moi ne goûtera jamais à leur vie de rêve.

Lorsque j'entends la porte d'entrée se fermer, je laisse échapper un soupir de soulagement. Au moins, je n'aurai pas à croiser le duo de choc en sortant. Le week-end ne fait que commencer, et je crains le pire. Les voir se dévorer des yeux est la dernière chose dont j'ai besoin.

Je leur laisse prendre quelques minutes d'avance, puis je prends mes clés, jette mon sac par-dessus mon épaule et file vers la porte. C'est à l'instant où je me dis que j'aurais peut-être dû passer par la case toilettes avant de sortir qu'en levant les yeux, j'aperçois Nash au téléphone, assis confortablement dans sa voiture de luxe d'un noir luisant.

Je m'arrête net : sans le poids de mon sac, j'aurais probablement trébuché… Ironie du sort, c'est aussi à cause de lui que je bascule, déséquilibrée lorsque, remarquant mon arrêt soudain, il fait brusquement reculer son véhicule.

Je tombe à la renverse et me retrouve les fesses sur le goudron au beau milieu du parking ! Rien qu'en imaginant la scène, j'ai honte du spectacle grotesque que j'ai offert à qui a eu la chance d'y assister…

Deux fois ! Cela fait deux fois que je me ridiculise devant Nash !

Je suis vraiment obligée de passer pour une idiote dès qu'il est à moins de dix mètres ?

Voilà ce que je me demande, tandis que j'essaie de me dépêtrer des sangles de mon sac, mais, soudain, deux poignes puissantes se referment sur mes avant-bras et m'aident à me relever.

Je lève les yeux et me retrouve nez à nez avec Nash. Ses yeux chocolat semblent inquiets. Je sens son eau de Cologne musquée, sans nul doute hors de prix. Son regard est profond, insondable, même… Terriblement sexy.

—Tout va bien ?

Je ne sais plus où me mettre ni comment réagir.

—Disons que je suis contente de ne pas avoir mouillé ma culotte en prime, dis-je à l'étourdi.

Ses lèvres s'entrouvrent, et mes joues virent à l'écarlate.

Mon Dieu, faites que je n'aie pas dit ça à haute voix !

Soudain, il éclate de rire. Sa bouche parfaite dessine sur son visage un sourire rayonnant et révèle ses dents impeccables. En une fraction de seconde, il vient de passer de l'irrésistible au demi-dieu grec. Le son de son rire glisse sur ma peau comme du satin.

J'ai conscience que je le dévore des yeux, mais je ne peux me résoudre à détacher mon regard de ses lèvres. Elles ressemblent tant à celles de son frère. Elles appellent la caresse, appétissantes et interdites tout à la fois… J'ai beau avoir mille bonnes raisons de redouter que cela se produise, je crève d'envie qu'il m'embrasse sur-le-champ.

Non, mais t'as vraiment un problème, ma vieille…

—Moi aussi.

Je ne comprends plus rien à ce qui se passe.

—Comment ? je lui demande, décontenancée.

—Moi aussi, répète-t-il.

—« Toi aussi » quoi ?

—Moi aussi, je suis content que tu n'aies pas mouillé ta culotte.

Ah, OK, ça…

Apparemment, il est écrit là-haut que je dois me ridiculiser aux yeux de ce mec. Et à ceux de son frère !

Je me détache de lui pour mieux réfléchir à la suite des événements, lui adresse un sourire forcé et secoue la tête.

—Oh, désolée pour ça, vraiment ! Je… euh… J'étais juste en train de me dire que j'aurais dû aller aux toilettes avant de partir. J'ai bu des litres et des litres aujourd'hui !

Je lâche un gloussement gêné. Ses yeux amusés ne me quittent pas d'un pouce, c'en est presque terrifiant.

—Où est-ce que tu vas comme ça ?

—Je pars bosser.

—Oh. Où ça? me demande-t-il, les mains dans ses poches, comme s'il se préparait à papoter un bon moment.

—Au *Tad's Bar and Grill* de Salt Springs.

—Salt Springs? répète-t-il en fronçant les sourcils. C'est à quoi… plus d'une heure d'ici, non?

—Exact. Du coup, je ferais mieux de filer tout de suite.

J'ai tout intérêt à m'éloigner de lui au plus vite si je ne veux pas qu'il se passe quelque chose d'encore plus embarrassant… Comme, disons, tendre la main et caresser les tablettes de chocolat que je peux deviner sous sa chemise hors de prix.

—Très bien. Fais attention sur la route.

J'acquiesce, puis souris timidement. Il se retourne et part en direction de sa voiture qui ronronne chaudement à quelques mètres de là.

Je me rue – dans les limites de la décence – vers ma Honda Civic. Jamais elle ne m'a paru aussi accueillante. J'y vois presque une sorte de capsule d'évacuation spatiale: je saute à l'intérieur, claque la portière et expire un grand coup.

Mais voilà qu'à mon grand désarroi, lorsque je tourne la clé de contact, je n'entends qu'un gémissement molasse: le moteur est grippé…

Je regarde la jauge d'essence: elle est à moitié pleine. Le tableau de bord? Il s'allume, exemplaire: la batterie est en pleine forme. Que vérifier d'autre? Je sèche déjà…

Je suis là, assise dépitée derrière mon volant à me demander ce que je vais bien pouvoir faire, lorsque je vois Nash passer devant ma voiture et s'approcher de ma fenêtre. Je la baisse et souris.

À la vérité, ce que j'aimerais faire, c'est fondre en larmes et maudire à pleins poumons le mauvais œil qui s'acharne sur moi.

—Tu as calé?

—Je n'en ai pas la moindre idée…

—Tu arriverais à me détailler le problème?

—Sincèrement, j'aurais du mal: mes ovaires produisent une hormone qui m'empêche de comprendre tout ce qui est mécanique.

Il pouffe de rire.

— OK, je vois : tu es du genre « Je mets déjà de l'essence dedans alors ne m'en demandez pas plus » ?

— Bien vu…

— Je vais jeter un coup d'œil. Tu ouvres le capot ? me demande-t-il en relevant ses manches.

Mon Dieu, même ses avant-bras sont ultrasexy !

Je baisse les yeux et, légèrement sur ma gauche, aperçois le petit symbole qui représente le capot. Dieu merci, cette fois, je ne me ridiculiserai pas !

Je m'exécute.

J'ignore si je dois rester là ou descendre le rejoindre. Soucieuse de ma santé mentale, j'opte pour la retraite dans ma Honda. Ainsi éloignée de Nash, je diminue significativement les chances de dire ou faire quoi que ce soit de stupide : mieux vaut prévenir que guérir.

Par la fente laissée sous le capot levé, j'observe Nash qui traficote je ne sais quoi, tirant ici un fil, là un tuyau, resserrant quelque pièce invisible. Au bout de quelques minutes, je le vois se frotter les mains, puis refermer le capot.

Il s'approche de moi.

— Je n'ai rien vu de bien terrible, mais bon, je ne suis pas mécano. Quoi qu'il en soit, et c'est manifeste, elle n'ira pas bien loin aujourd'hui. Tu veux que j'appelle une dépanneuse ?

Je ne peux refréner un soupir d'abattement.

— Non merci, c'est gentil… Je m'en chargerai après avoir prévenu mes collègues.

— Tu es sûre ?

Je feins tant bien que mal un sourire, mais, vu mon désarroi, je le devine assez peu convaincant.

— Oui, certaine. Merci en tout cas.

— Je peux attendre un peu avec toi, si tu veux.

Je ris. Jaune.

— C'est vraiment sympa, mais sans vouloir te paraître incorrecte, je préfère me faire exécuter en privé.

Il fronce les sourcils.

—Tu risques d'avoir des problèmes?

Je le rassure d'un geste blasé.

—Bof, pas plus que d'habitude…

Il acquiesce, repart vers sa voiture, mais s'arrête au bout de quelques mètres. Là, il regarde sa montre, puis relève la tête. Il a l'air pensif… Non, c'est sûr : il réfléchit.

—Et si je te déposais à ton boulot?

—Non, pas question! Marissa et toi avez des choses à faire, et Salt Springs n'est vraiment pas sur ton chemin. Ce n'est pas sur le chemin de grand monde, d'ailleurs.

—On allait traîner un peu avec des collègues de travail; je peux me permettre d'arriver un peu à la bourre. Promis, ça ne me dérange pas.

—Moi, ça me gêne. Je vais me débrouiller, vraiment. C'est adorable de me le proposer, mais je ne peux pas accepter.

—Vraiment? demande-t-il, le regard pétillant de malice. Et si j'insiste un peu?

—Un peu ou beaucoup, peu importe : ma décision est prise.

Nash plisse les yeux et esquisse un sourire. Il avance doucement jusqu'à ma fenêtre, se penche vers moi et pose ses avant-bras sur la fenêtre baissée. Son visage n'est qu'à quelques centimètres du mien.

—Je vais être obligé de te forcer, alors…

Il a dit ça sur un ton terriblement excitant… et je ne peux m'empêcher de penser à tout ce qu'il pourrait me forcer à faire.

Certes, il y a quelque chose de glauque et d'affreusement triste dans le fait qu'un homme puisse forcer une femme à assouvir ses pulsions sexuelles, mais, comme on dit, il n'y a pas de crime si la femme est consentante. Et pour être consentante, ça, je serais consentante! Terriblement, même…

Ma bouche est si sèche que ma langue peine à se décoller de mon palais. Je ne peux rien faire d'autre que secouer la tête.

Alors, avant même que j'aie le temps de réagir, Nash tend le bras et récupère mes clés de contact. Un sourire suffisant sur le visage, il file du côté passager, ouvre la portière, et récupère mon sac à main et mes affaires posés sur le siège.

—Maintenant, tu as le choix, annonce-t-il: soit tu viens avec moi, soit tu passes la nuit dans ta voiture en panne.

Et pour ponctuer sa phrase, il claque la portière, avant de s'éloigner d'un pas nonchalant jusqu'à sa voiture. Là, il dépose mes affaires sur la banquette arrière, vient s'adosser à la portière côté conducteur, puis croise les bras, les yeux rivés sur moi. Le défi est clair.

À dire vrai, je suis assez têtue pour pouvoir trouver n'importe quelle excuse lorsque j'ai une chance d'esquiver quelque chose que je ne veux pas faire. Mais, c'est là qu'est le « hic »: j'ai envie de le suivre. La seule perspective de pouvoir passer un peu de temps avec lui sans Marissa dans les pattes a des avant-goûts de paradis. Je veux dire, ce n'est pas que j'aie dans l'idée de le lui piquer, ni même que j'en serais capable, d'ailleurs: Marissa a tout pour elle. C'est une garce capricieuse, certes, mais elle n'en est pas moins magnifique, riche et brillante… sans compter ses innombrables relations dans la sphère juridique d'Atlanta.

Et puis, il y a moi: l'étudiante en comptabilité-serveuse-fille de fermier… Alors voilà: même si j'étais une fouteuse de merde, j'aurais bien du mal à voler ce mec à ma cousine.

Et tant mieux. Dès lors, il me semble moins risqué de passer quelques dizaines de minutes en sa compagnie à bord de sa voiture…

Après avoir relevé la vitre, je descends du véhicule, verrouille les portières, puis me dirige vers l'intérieur ultraconfortable et luxueux de la BMW de Nash. Je m'installe et, tandis qu'il se glisse derrière le volant, je me garde bien de réagir face à son sourire satisfait: mieux vaut qu'il pense avoir gagné la partie.

—Alors, c'était si compliqué?

J'essaie de garder un sourire décent ne trahissant pas trop mon enthousiasme.

—Ça peut aller… Il faut dire que tu sais te montrer très convaincant.

— C'est ce qu'on me dit, oui.

— Très étonnant…, dis-je dans ma barbe.

Nash se retourne aussitôt vers moi, et je lui adresse un sourire innocent.

— Oui ?

Il prend un air suspicieux.

— Tu as dit quelque chose ?

— Moi ? Rien du tout.

Tandis que nous quittons le lotissement, je dissimule autant que possible le sourire qui brûle d'illuminer mon visage.

6

NASH

Tandis que je m'engouffre sur l'autoroute, j'observe Olivia du coin de l'œil. Je sais que je joue avec le feu…

Tout ça pour passer quelques minutes de plus avec cette fille… C'est trop risqué.

De fait, j'aurais proposé mon aide à n'importe qui dans cette situation, mais est-ce que j'aurais agi de la même façon avec n'importe quelle femme? Je ne pense pas. Est-ce que je me serais permis d'insister? Non. Jamais.

Mais pourquoi est-ce que tu n'as pas simplement attendu avec elle qu'une dépanneuse arrive?

Honnêtement, je l'ignore. Ce que je sais, par contre, c'est qu'il se passe un truc avec cette fille…

Elle est superbe, c'est indubitable, même si ce n'est pas forcément mon genre. Mais… comment dire? Elle est tout le contraire de ce qu'est Marissa, aussi bien physiquement que dans son comportement. Et bien que cette dernière corresponde en tout point à ce que j'estime me convenir parfaitement chez une femme, je ne me sens pas attiré par elle comme je le suis par sa cousine…

Et ça, ça craint un max…

J'en suis parfaitement conscient.

Pourtant, je suis bien là, à faire traverser la moitié de l'état à cette fille pour la déposer au boulot, pendant que ma petite amie m'attend.

Merde, Marissa!

Tandis que j'accélère à la sortie de la bretelle d'accès, je me retourne vers Olivia.

— Est-ce que ça te dérange que je prévienne Marissa?

Elle sourit et fait « non » de la tête.

Je coupe la connexion Bluetooth : je n'ai aucune envie qu'Olivia entende ma conversation avec Marissa.

— Où est-ce que tu es? me demande Marissa sitôt qu'elle a décroché.

— La voiture d'Olivia ne démarrait plus. Je la dépose au boulot et j'arrive.

— Olivia? Ma cousine Olivia?

— Bien sûr, ta cousine. Qui d'autre?

— Tu la déposes au boulot? Tu vas jusqu'à Salt Springs?

— Oui.

Silence au bout du fil. Je sais le peu de cas que Marissa fait des autres en règle générale, et j'ai conscience de l'énergie que cela doit lui demander de ravaler, pour me ménager, les commentaires acerbes qui lui brûlent les lèvres. Malgré tout, une comédienne aussi diplomate ne se laisse pas aller si facilement à ses émotions : elle sait qu'elle aurait trop à perdre si elle craquait. À commencer par moi. Aussi, elle ne reprend la parole que lorsqu'elle a enfin recouvré son calme.

— Tu es vraiment un ange de faire ça pour elle, mais surtout, ne le fais pas pour moi. On est cousines, certes, mais il ne faut pas te sentir obligé de faire le taxi pour autant...

— Ne t'inquiète pas, ça ne me dérange pas. Vraiment.

Une nouvelle pause.

— Très bien. On se voit dans quelques heures, alors.

— À tout à l'heure.

En reposant mon téléphone sur son socle, je vois qu'Olivia me dévisage.

— Un problème?

— C'est ce que je me demandais, justement. Elle l'a mal pris?

—Non. Pourquoi est-ce qu'elle l'aurait mal pris ?

—Tu… connais la personne avec qui tu sors ?

Je glousse malgré moi.

—Elle a ses qualités. Qui plus est, vraiment, elle ne m'a pas fait de scène.

—Si tu le dis !

—Vous n'avez pas l'air de vous apprécier énormément l'une l'autre. Pourquoi est-ce que vous vivez ensemble ?

Je me tourne vers Olivia et vois son visage se décomposer.

—Je suis désolée… Je dois vraiment passer pour la dernière des ingrates. Et puis, quoi que j'en pense, ça reste ta petite amie ; je suis vraiment navrée…

Merde, je l'ai mise mal à l'aise !

—Non, ne t'excuse pas. Ma question était déplacée, je suis désolé. J'ai été trop curieux.

—Marissa ne t'a rien dit, donc.

—Non. Pas grand-chose, en tout cas.

—Comme c'est étonnant…, murmure-t-elle.

Je fais mine de ne rien avoir entendu, mais la pique me fait sourire.

—Bon, pour résumer : je suis restée deux ans en coloc avec une fille qui s'est barrée sans prévenir pour rejoindre son copain dans le Colorado. Pour compliquer les choses, elle est partie à quelques jours de la prolongation du bail. Comme je n'avais pas les moyens d'assumer le loyer seule, j'ai dû quitter l'appart. Ma meilleure amie m'a proposé une chambre, mais comme elle se marie le mois prochain, j'ai préféré décliner l'offre. Et puis, le père de Marissa m'a proposé d'emménager avec elle. Il me demande moins d'argent que ce que me coûterait un hébergement sur un campus, et c'est une vraie chance, parce que je n'aurais clairement pas pu m'en sortir sans ça : même si je suis bien payée pour ce que je fais, j'ai un budget assez serré.

Elle se retourne vers moi, et je lui adresse un hochement de tête compréhensif.

—Bref, je n'en donne peut-être pas l'impression, mais je leur suis vraiment reconnaissante de l'aide qu'ils m'apportent… Disons juste que… que j'ai eu une semaine difficile…

—Et donc, tu es serveuse?

—Oui.

—Je peux te demander pourquoi tu vas bosser aussi loin, alors qu'il existe des dizaines de bars qui seraient prêts à t'engager?

—Le *Tad* est le bar qui me paie le plus : ils ont souvent besoin de filles pour le week-end, et les remplacements paient plus, donc… Ça fait deux ans que je bosse là-bas, et je connais le proprio depuis que je suis ado. Il me connaît : il sait que je suis sérieuse et que je ne lui ferai pas faux bond.

—Dans ce cas, j'ai bien fait de te forcer un peu la main.

Elle m'adresse un petit sourire… Un sourire si sexy que j'ai une soudaine envie de l'embrasser.

Je suis sur une pente glissante…

—Je te revaudrai ça.

—Je suis sûr que tu trouveras de quoi me combler.

OK, gars, là, tu flirtes…

Même à mes oreilles, la remarque semble un brin trop suggestive. Le souci, c'est que j'assume totalement le sous-entendu. Que je pense à ce qu'elle pourrait me faire ou à ce qu'elle accepterait de me laisser lui faire, imagine des dizaines de choses plus que susceptibles de me combler.

Elle sourit franchement, maintenant.

—Merci. Cela dit, si une idée te passe par la tête, n'hésite pas.

Pour couronner le tout, elle s'y met aussi !

Je devrais en être sincèrement gêné et mettre un terme au jeu de séduction, mais la vérité, c'est que ce jeu me plaît. Dangereusement.

Pour autant, j'ai besoin d'une petite pause. Je change de sujet.

—Pour en revenir à ton boulot, j'ignore combien paie mon frère, mais je suis sûr qu'il a des tarifs assez compétitifs. Tu veux que je lui en touche un mot? Si ça se trouve, il a une place pour toi.

Un éclair de panique zèbre son visage.

—Non!

—OK, OK…, dis-je aussitôt, décontenancé par l'intensité de sa réaction. Je peux savoir pourquoi?

Elle soupire, repose sa nuque contre l'appuie-tête, puis ferme les yeux.

—À vrai dire, c'est une histoire aussi longue qu'embarrassante.

—Un rapport avec le fait que tu l'as à moitié déshabillé?

Elle relève soudain la tête et tourne vers moi des yeux ronds.

—Il t'en a parlé?

—Non, c'est toi qui en as parlé le jour où on s'est rencontrés. Tu as déjà oublié?

Elle se calme un peu.

—Ah oui, c'est vrai…

—Ne me dis pas que tu serais prête à renoncer à un boulot qui, en plus de payer plus, te permettrait de bosser plus près de chez toi juste pour ce petit incident?

—«Payer plus», ça, on n'en sait rien. Tu l'as dit toi-même.

—Sincèrement, vu la taille de sa boîte, je ne suis pas vraiment inquiet quant au salaire qu'il pourrait avoir à offrir.

—Mouais…

—Tu devrais au moins y réfléchir. À moins que tu cherches à ce que je te force encore la main… Je peux toujours te déposer là-bas sans ton consentement, ça ne me fait pas peur.

Elle se tourne vers moi et esquisse un nouveau sourire. Je ne sais pas si j'ai déjà dû lutter à ce point pour ne pas saisir une fille par la taille et l'asseoir sur mes genoux.

—Tu me diras, je crois que j'aime assez l'idée que tu me forces… à te forcer la main.

OK, là, tu dérailles, mon pote…

Elle plisse légèrement les yeux et penche sa tête sur le côté.

—C'est moi ou tu me dragues?

Je hausse les épaules.

—Si c'était le cas, tu en penserais quoi?

—J'en penserais que Marissa est ma cousine, pour tout dire.

— Et tu ne peux pas la supporter.

— Peu importe. Je ne suis pas une fouteuse de merde.

Je rive mon regard dans le sien. Pas une seconde je doute de ce qu'elle vient d'affirmer : elle a beau trouver que Marissa est une pouffiasse égoïste, elle ne fera jamais rien qui puisse la blesser.

— Crois-moi ou non, mais j'en suis assez convaincu. J'ai du flair pour ce genre de choses, et tu as l'air de tout, sauf d'une fouteuse de merde.

Elle fronce un peu plus les sourcils.

— Pourquoi est-ce que tu flirtes avec moi, dans ce cas ?

Sa question semble sincère. Elle n'a ni l'air de me juger, ni de se moquer. Elle semble simplement curieuse de comprendre.

Elle me fascine… L'espace d'une seconde au moins, je suis totalement sincère avec elle.

— J'ai l'impression… que c'est plus fort que moi.

7

OLIVIA

COMMENT EST-CE QUE J'AI PU LE LAISSER M'EMBRINGUER dans cette galère, bon sang ?

Je suis à deux pas de la porte d'entrée de l'Hypnos Club. J'étudie longuement l'enseigne, et ne peux réprimer un sourire : Hypnos, fils de la nuit, frère jumeau de Thanatos… Le frère de Nash joue la carte du petit futé jusqu'au bout… et il semble avoir assez d'esprit pour le faire avec brio.

Ne craque pas…

On est en milieu d'après-midi, et le parking est vide. Pour être honnête, je me dis que je n'aurais jamais dû me laisser embarquer là-dedans. Nash ne m'a pas lâchée depuis samedi – quand mon père m'a déposée à l'appart – et j'ai fini par accepter qu'il me dégotte un boulot à l'Hypnos Club.

Même si Cash et Nash ne semblent pas s'entendre à merveille, ce dernier m'a proposé d'aller sur place pour me présenter à son frère. Têtue comme je suis, j'avais d'abord refusé ne serait-ce que d'envisager sérieusement la proposition, mais maintenant que le week-end approche à grands pas et que j'appréhende déjà de devoir repartir pour Salt Springs, je commence à me dire que bosser pour Cash n'est peut-être pas une si mauvaise idée…

Malheureusement, Nash a dû s'absenter, et je vais devoir entrer seule. Je me remets à douter. La raison principale pour laquelle je m'éloigne de la ville pendant le week-end est désormais de rester à bonne distance de Nash.

Je ne suis pas une fouteuse de merde… mais je suis vraiment une plaie! De tous les types, il a fallu que je joue la maligne avec lui!

Je trépigne sur le trottoir, incapable de savoir quoi faire. Je lance un regard à ma voiture, par-dessus mon épaule ; cette même voiture que Nash avait réparée sans prévenir avant mon retour samedi. Apparemment, il y avait juste un petit souci de bougies, mais je ne suis pas convaincue d'avoir tout compris. Quoi qu'il en soit, petit souci ou pas, il avait réparé ma voiture.

Nouveau soupir.

Finalement, aussi retors que ce soit, c'est la perspective de savoir que je pourrais être amenée à voir Nash plus souvent, au hasard d'une visite, qui me pousse en direction de la porte.

Je fais quelques pas dans l'entrée obscure. Même en plein jour, la lumière peine à s'imposer, et seuls quelques rais poussifs filtrent au travers des petites fenêtres percées haut sur la façade.

Le bar a un aspect radicalement différent sans ses lumières épileptiques et ses clients enfiévrés massés d'un mur à l'autre. Les tables, hautes, sont propres et nues, le sol de jais luisant. Des enceintes s'échappe une musique instrumentale étrange, et la pièce n'est éclairée timidement que par la lumière qui émane des étagères sur lesquelles, derrière le bar, sont exposées les bouteilles d'alcool.

Nash m'a dit que Cash serait là toute la journée, mais j'aurais mieux fait de lui demander un horaire plus précis. Qui plus est, je n'ai pas la moindre idée de l'endroit où le chercher.

Mes tongs font un bruit sourd en martelant mes talons à chaque pas, tandis que je traverse la pièce jusqu'au bar. Je tire un tabouret et m'installe. Comme la porte est ouverte, je suppose que Cash garde un œil sur la salle.

Je manque de m'étouffer lorsqu'il surgit de derrière le comptoir.

— Tu dois être Olivia.

— Tu m'as foutu les jetons, merde !

—Avec un vocabulaire pareil, tu te fondras parfaitement dans le décor.

Si je n'étais pas encore sous le choc, je m'offusquerais probablement de sa remarque. Au lieu de ça, j'éclate de rire.

—Tu arrives à faire ressortir ce qu'il y a de pire en moi, qu'est-ce que tu veux…

Cash porte un débardeur noir qui met délicieusement en valeur ses bras musculeux et le tatouage mystérieux qui pare le côté gauche de son torse. J'essaie de ne pas y penser, mais tous mes sens me rappellent combien ce type est appétissant.

Dans quoi je me suis encore fourrée!

Cash pose ses coudes sur le comptoir et se penche vers moi.

—C'est parce que tu ne m'as pas laissé l'occasion de faire ressortir ce qu'il y a de meilleur.

Sa voix est grave et posée, et l'un de ses sourcils levé et insolent, comme ce fameux et fâcheux soir. Mon cœur bat à tout rompre.

Il est encore plus sexy que dans mon souvenir… C'est vraiment la merde…

Pour une raison qui m'échappe, j'étais persuadée qu'il était moins attirant que Nash; que comme il était le mauvais garçon des deux, il avait forcément moins d'attrait aux yeux de toute femme saine d'esprit. Je ne sais pas si, de toute ma vie, je m'étais déjà trompée à ce point…

Déterminée, je me focalise sur la raison de ma présence ici et tente de faire meilleure impression que lors de notre première rencontre.

Je lui souris poliment.

—Oh… J'espère que ce qui s'est passé l'autre fois ne va pas m'empêcher de travailler ici.

Il me décoche un sourire malicieux.

—Tu me menaces déjà de me poursuivre pour harcèlement sexuel?

—Non! Bien sûr que non! Je… Ce que je voulais dire, c'est que…

Dans ma tête, je n'entends plus que le bruit cataclysmique d'un avion s'écrasant à pleine vitesse à flanc de montagne.

La ferme Olivia ! Pitié, arrête la casse !

—Dis donc, respire un coup, c'était en train de devenir intéressant…

J'expire, à la fois soulagée et quelque peu vexée.

Il me cherche !

—Tu es toujours aussi insolent ?

—Insolent, moi ? répète-t-il d'un air innocent. Nooooon…

Le sourire aux lèvres, il pose ses mains à plat sur le comptoir, l'enjambe d'un bond et atterrit juste à côté de moi. Je ne résiste pas à l'image de ses bras musclés et me prends à fermer les yeux, priant pour que cette vision troublante ne s'incruste pas sur ma rétine… Trop tard : même les yeux clos, je les vois partout.

C'est pas vrai…

—Nash m'a dit que tu étais serveuse ?

J'ouvre les yeux et les lève vers les siens : il est si proche de moi que je peux voir la ligne floue qui sépare ses pupilles de ses iris d'un brun presque noir.

Je n'ai jamais vu des yeux pareils…

Il hausse un sourcil et attend ma réponse.

—Excuse-moi ?

—Non, rien. De toute façon, ça importe peu : si tu ne te défais pas de cette délicieuse timidité, les clients ne seront pas très regardants quant à la rapidité de ton service.

Je rougis légèrement. Je devrais me sentir insultée, mais son compliment me flatte. Beaucoup.

—Je fais bien mon boulot de toute façon.

—Tes abdos fessiers aussi, j'ai l'impression.

—Je crois qu'on s'égare… Ce que je veux dire, c'est que j'ai bossé deux ans dans l'un des bars les plus fréquentés de Salt Springs. Derrière un bar, je me débrouille.

Il croise les bras et esquisse un sourire narquois.

—Ah oui ?

Je me redresse, la poitrine gonflée d'une fierté presque incongrue.

—Oui.

50

—Les clients qui viennent ici ne veulent pas seulement être servis : ils veulent aussi être divertis. C'est à ta portée ?

J'ai beau n'avoir pas la moindre idée de ce qu'il sous-entend, je riposte sans réfléchir, trop orgueilleuse pour me laisser dominer.

—Sans problème.

—Dans ce cas, ça ne te dérangera pas de passer un petit test ?

Sa proposition me donne des frissons. Je me racle la gorge et prends mon courage à deux mains.

—Quel genre de test ?

Il reste silencieux quelques secondes. Juste assez pour que j'aie le temps d'imaginer les tests de recrutement les plus indécents... et les plus excitants.

Eh, reviens sur terre, Liv ! Ce type dépasse les bornes !

Il s'esclaffe.

—Rien de trop... exotique. Pour l'instant, je préfère rester vigilant avec ces histoires de harcèlement.

—Excuse-moi, mais, est-ce que tu essaies vraiment de me faire fuir ?

—Eh, arrête un peu ton cinéma... Tu ne vas pas me dire que tu n'as jamais bossé pour un type à qui tu plais ! Je suis même prêt à parier que c'est le quotidien des filles comme toi !

Je réprime le sourire qui meurt d'envie d'habiller mes lèvres. Je suis ravie qu'il me trouve à son goût, mais je n'ai pas l'intention de le lui laisser deviner. Sachant que par « ravie », j'entends « ravie au point d'en avoir le souffle court et le ventre en feu ».

—Des filles comme moi ? m'enquiers-je d'une voix faussement calme.

—Oui, des filles comme toi.

Les paupières à demi closes de Cash lui donnent des airs d'amant fiévreux. Sa voix est aussi douce que les draps de soie sous lesquels je l'imagine se glisser.

—Fougueuse, séduisante, terriblement bien roulée... Je suis sûr que tu n'as jamais rencontré un seul type à ne pas t'avoir mangé dans la main.

Il m'observe comme s'il parvenait tout juste à se retenir de me sauter dessus pour me déshabiller sur place, dans ce bar à la lumière tamisée où se perdent les accords d'une musique planante. D'ailleurs, au fond de moi, je crois qu'il n'y a rien que je désirerais plus que ça…

Je pouffe d'étonnement, à tel point que j'en renâcle malgré moi.

C'est quoi ce bruit immonde!

—Tu dois te tromper de fille!

—C'est ce que tu dis, mais je suis sûr que tu peux t'offrir tous les mecs que tu veux.

Il penche légèrement la tête sur le côté et m'étudie de pied en cap, comme s'il m'évaluait…

—Mais peut-être que tu l'ignores…

—Je… Vraiment, je ne sais pas… Je… non…

Je me maudis de perdre mes moyens; je n'ai aucune envie que Cash sache qu'il me déstabilise à ce point.

—Hmm…, se contente-t-il de marmonner, tout en me déshabillant du regard.

Il sourit; un sourire poli qui me fait comprendre que l'entretien professionnel reprend. Même si son caractère professionnel n'est pas particulièrement flagrant pour l'instant…

—Va pour un test de recrutement, donc. Dispo demain soir pour une soirée d'essai?

Je déteste me faire porter pâle, mais je ne peux me permettre de démissionner tant que je ne suis pas certaine d'avoir décroché un poste à l'*Hypnos Club*. Et si je veux ce boulot, je dois être là demain soir: je n'ai pas tellement le choix.

—Sans problème. À quelle heure dois-je arriver?

—À 19 heures. Ça laissera assez de temps à Taryn pour te briefer avant l'ouverture à 21 heures.

—Très bien.

Un silence inconfortable s'installe entre nous. Je ne sais pas trop comment réagir.

—Bon, eh bien… si on a terminé, je vais te laisser travailler.

—Tu ne veux pas savoir combien je vais te payer ? Nash m'a dit que ça jouerait pas mal dans ta prise de décision.

Merde ! Je suis tellement déboussolée que j'ai oublié de parler de la paie !

La gêne me réchauffe les joues, et je prie pour que le manque de lumière dissimule mes pommettes empourprées ; dans le cas contraire, j'espère sans trop y croire qu'il n'en dira rien et se contentera de parler argent.

—Oui, bien sûr, c'est… c'est important.

—Que dirais-tu d'un tarif horaire deux billets au-dessus de ce que tu gagnes en ce moment ?

J'arrive de peu à me retenir d'écarquiller les yeux.

—Tu ne sais même pas combien je gagne actuellement.

Il grimace.

—Peu importe. J'ai le sentiment que tu vaudras largement ce que je te donnerai.

—Merci, ça ne me met pas du tout la pression…

Il pouffe.

—Pour la pression, ce n'est qu'un début ; il va falloir t'y faire. La boîte est blindée le week-end. Tu vas devoir t'accrocher.

J'hésite à lui rappeler que je sais à quoi ressemble son night-club le week-end, mais je n'ai pas la moindre envie qu'il se remémore la fâcheuse soirée pendant laquelle je l'ai à moitié déshabillé…

Malheureusement, il n'a pas besoin de moi pour s'en souvenir.

—Qui plus est, il te faudra pas mal de cran pour finir ce que tu as commencé la dernière fois, se moque-t-il.

Comment ai-je pu être naïve au point de croire que je m'en sortirais sans qu'il en parle ?

—Et si on oubliait cet épisode ?

Son visage rayonne d'un sourire impitoyable.

—Jamais de la vie, déclare-t-il en s'éloignant de moi. On se voit demain soir à 19 heures.

—Comment est-ce que je dois m'habiller ?

—Je te ferai livrer ce qu'il faut. En 36, je me trompe?

J'ignore pourquoi, mais le fait de savoir qu'il m'a déshabillée du regard au point de pouvoir en déterminer mes mensurations réchauffe certaines zones de mon corps que j'aurais préféré garder sous contrôle…

—Non, c'est bien ça…

Il m'adresse un nouveau clin d'œil, puis disparaît, empruntant une porte dérobée derrière le bar…

8

CASH

Je souris sitôt que j'entends la porte se refermer derrière Olivia. Elle est partie.

Je regrette d'avoir dû couper court à l'entretien, mais j'ai le sentiment que cette fille peut, d'un regard, me pousser à faire ou dire de belles conneries. Et ça me plaît... Elle me plaît.

Cette fille est une contradiction à elle toute seule : ça crève les yeux que je lui plais, mais elle refuse de se laisser aller. Elle est timide, mais elle crèverait plutôt que de le laisser paraître. Et, bordel, quand elle lutte pour afficher un visage assuré, quand elle relève mes défis d'un regard, elle me rend dingue ! Chaque fois, ça me donne envie de pousser l'affrontement un peu plus loin ; de voir jusqu'où elle est capable d'aller.

Je passe peut-être pour un pervers, mais c'est la vérité. Il y a quelque chose dans la façon dont elle répond à mes piques qui me la rend totalement irrésistible ; au point que j'en ai presque du mal à me contenir. Quoi qu'il en soit, l'avoir ici avec moi va enflammer mes week-ends de belle manière... Ça promet d'être intéressant !

Je me pose une minute pour écrire un mail à Marie, la proprio de la boîte qui me fournit les tenues des serveuses. Impossible de ne pas penser à ce à quoi ressemblera Olivia avec son pantalon taille basse et son débardeur noirs bien ajustés. Je me refuse à avoir des serveuses qui ont l'air de traînées, mais je ne suis pas contre le fait de dévoiler un peu plus de peau que ne l'autorise la bonne morale : c'est bon pour le commerce et, dans le cas d'Olivia, ça me vaudra des séances de reluquage plus que prometteuses.

J'ai hâte d'être à demain soir. Même au naturel, elle est incroyablement sexy : la plonger dans un milieu où elle pourra se lâcher un peu plus, c'est l'assurance d'un divertissement torride. J'ai déjà ma petite idée sur ce que je vais lui demander de faire durant sa soirée d'essai...

9

OLIVIA

Je suis réveillée en sursaut par la sonnerie de mon portable. J'ouvre un œil et lance un regard vers les chiffres encore flous qu'affiche mon réveil : 06 h 04. Qui peut être assez désaxé pour m'appeler à une heure pareille ?

Je regarde l'écran de mon téléphone.

Qu'est-ce que c'est que ce numéro ?

J'hésite à décrocher, mais l'heure tardive de l'appel me pousse à m'emparer de l'appareil : je suis toujours un peu inquiète lorsqu'il sonne à une heure suspecte.

—Allô ? dis-je, la voix rauque au possible, malgré tous mes efforts.

—Olivia ?

Un frisson me parcourt l'échine. C'est Cash. Sa voix invoque aussitôt dans mon esprit l'image de son visage parfait, de son sourire insolent et de son torse terriblement excitant. Une vague de chaleur m'envahit...

—Olivia ? répète-t-il.

Non, ça ne peut pas être Cash. Ce doit être Nash : il est trop tôt pour que le proprio d'une boîte de nuit soit levé. Malheureusement pour moi, je ne suis pas moins excitée par les images qui déferlent aussitôt dans mon esprit...

Je savais que j'étais tordue, mais là, je bats des records...

—C'est moi...

Un rire grave, irrésistible.

— C'est Nash. Je suis désolé d'appeler si tôt, mais je vais m'absenter toute la journée ou presque, et je voulais savoir comment ça s'était passé au club. Tu as accepté le boulot ?

— Ne t'excuse pas ; c'est gentil de prendre des nouvelles. En fait, je passe un test de recrutement ce soir… même si je ne sais pas trop à quoi m'attendre.

— Aaah…, fait Nash sur un ton entendu. Cash aime s'assurer que ses employés sont aptes à divertir la clientèle.

Pour la première fois, je prends conscience que le stripteaseur de l'enterrement de vie de jeune fille de Shawna bossait pour Cash, et je me mets à paniquer.

Mon Dieu, dites-moi que je n'ai pas signé pour devenir stripteaseuse !
Je me redresse aussitôt.

— Tu ne crois quand même pas qu'il s'attend à ce que je me défroque devant les clients, rassure-moi ?

Nash rit de nouveau.

— Non. Enfin, sauf si tu en as envie.

— Mon Dieu, non !

— C'est bien ce que je pensais. Surtout après ta première visite à l'*Hypnos Club.*

Il sourit au bout du fil ; je l'entends dans sa voix.

Cash lui a raconté ! Et merde ! Change de sujet, Liv' !

— Qu'est-ce qu'il entend par « divertir les clients » au juste ?

— Disons que tu ne devras pas te montrer trop timide avec la clientèle… Ça ne te pose pas de problème ?

Je sais que je suis timide, mais pas de quoi fouetter un chat non plus… D'ailleurs, pour être tout à fait honnête, je suis un peu vexée qu'il le suggère à demi-mot.

— Crois-moi, Nash, quoi que puissent faire les autres filles, je peux le faire aussi. Pas de souci à ce niveau-là.

Bon, ce n'est peut-être pas totalement vrai, mais je préfère encore mourir plutôt que l'admettre !

— Dans ce cas, tout devrait bien se passer. Et puis, avec ton physique et ta personnalité, tu vas éclipser toutes les autres filles.

Son compliment fait mouche… même si, en théorie, je devrais trouver assez déplacés ses commentaires sur mon physique. Quoi qu'il en soit, je suis ravie de constater que je ne lui suis pas indifférente. En soi, c'est plutôt une mauvaise nouvelle, mais je suis rassurée de savoir que je ne m'aventure pas seule en zone interdite. Malgré tout, cela ne change rien au fait que rien ne pourra jamais se passer entre nous : Nash est déjà pris.

Quel dommage…

Un « bip » étouffé retentit. Nash a un double appel.

—Quand on parle du loup ! C'est Cash, dit-il, avant de marquer une pause. Je me demande ce qu'il fabrique debout à cette heure-ci.

Marrant, je me pose la même question. Après quelques secondes de silence, Nash se racle la gorge.

—Bref ! Bonne chance pour ce soir, et repose-toi un peu avant le grand saut, Sexy au Bois dormant…

Je souris comme une idiote, et me retiens tout juste de pouffer benoîtement.

—Je n'y manquerai pas.

—Dors bien, Olivia.

Il raccroche et, même si je n'entends plus sa voix, ma poitrine est parcourue par d'irrépressibles frissons. J'aime l'entendre prononcer mon prénom…

Comment s'est-il procuré mon numéro, au fait ?

La question s'est imposée à moi soudainement, mais la réponse m'importe peu, en définitive. Je reste là, allongée sur le lit, les yeux rivés au plafond. Nash ne quitte pas mes pensées, et je me demande quel effet cela ferait de regarder son plafond plutôt que le mien… D'être allongée tout contre lui…

Je ferme les yeux et fantasme qu'il se retourne pour m'enlacer, recouvre mon corps du sien, vient caler son bassin entre mes cuisses ouvertes… et ces seules pensées me guident chaudement vers le sommeil.

L'*Hypnos Club* n'a pas tellement changé depuis hier soir : il est simplement un peu plus éclairé, et deux voix sont engagées dans une conversation houleuse. L'un des deux interlocuteurs semble furieux.

— Et quoi, alors ? Je me retrouve à devoir former une bleue ? Mais quelle merde ! C'est moi qui ai le plus d'ancienneté ici, bordel ! Il aurait au moins pu m'en parler !

J'aperçois la furie : une blonde menue qui porte de longues dreadlocks et des tatouages sur le bras. Joignant un geste rageur à la parole, elle hurle aux oreilles d'un jeune type qui ne semble pas plus affecté par la tempête qu'un rondin de bois à la mer.

— Je savais qu'on n'aurait jamais dû te retirer ta camisole…, lâche ce dernier, taquin, mais sans méchanceté.

Je ne vois que sa nuque, mais je devine son sourire. Sa voix le trahit. Je pense même qu'il se retient de pouffer.

— Il m'a dit qu'elle avait du métier. Si ça se trouve, deux, trois directives et ce sera bouclé.

— Qu'on soit clair : si on doit bosser ensemble, soit c'est une tueuse, soit elle va se faire foutre.

— T'es vraiment un amour de petite boniche, tu sais, Taryn ?

La fille – Taryn, donc –, qui s'était retournée pour se charger de je ne sais quoi derrière le bar, se retourne si rapidement que j'entends ses dreads fouetter l'air.

— De quoi tu viens de me traiter ?

Le type penche la tête en arrière et se met à rire. Non : à éclater de rire. Je m'attends à ce que la fille saute par-dessus le comptoir et lui arrache les yeux, mais, à ma grande surprise, elle lui répond par un sourire.

Et la dispute cesse sur-le-champ.

— Bon, ce concert, alors ? Tu comptes m'y emmener ? lui demande-t-elle d'une voix soudain amicale.

Ils se mettent alors à discuter de façon si naturelle que j'en viens à me sentir gênée de les écouter. Pour moi, c'est l'heure du choix décisif : soit je me casse d'ici, soit je me manifeste. Pour tout dire, j'ai déjà pris des décisions plus simples : la seule pensée de travailler avec cette Taryn me file des brûlures d'estomac.

Avant que la peur ne me pousse à faire demi-tour, je puise en moi le peu de courage qu'il me reste, me racle la gorge, et me dirige vers le bar.

Les deux collègues tournent la tête, et leurs yeux se braquent sur moi. Tandis que j'avance dans leur direction, je me rends compte qu'en plus de posséder un tempérament de feu, la fille est une vraie beauté avec ses grands yeux en amande et ses pulpeuses lèvres rubis. Et le mec… La vache ! Quel canon !

Du genre exotique… Hawaïen ou cubain. Sa peau est d'un brun caramel, ses cheveux et ses yeux noirs. Et le sourire qu'il m'adresse ?

Merde…

J'ai fichu les pieds dans une agence de mannequins rebelles ou quoi ?

J'essaie de ne pas paraître trop embarrassée dans ma tenue de service : elle n'en montre pas trop – pas au point de me mettre mal à l'aise, en tout cas –, mais je me sens tout de même gênée. Mon jean taille basse révèle un peu de mon ventre, et mon débardeur, plus petit d'une taille que mes hauts habituels, offre à la vue un décolleté généreux. Rien d'excessivement vulgaire, mais j'ai conscience que cet accoutrement risque d'attirer à moi les regards des clients. Cela me rend nerveuse.

Une chose est sûre, en tout cas : je remplis moins mon débardeur que Taryn dont la poitrine gonflée à l'hélium n'a, de toute évidence, rien de bien naturel. D'ailleurs, le reste de son corps est d'une minceur telle que j'en suis plutôt fière d'avoir des hanches. Cela dit, j'ai toujours été assez fière de ma carrosserie…

Un large sourire aux lèvres, je tends la main à la barmaid.

—Salut, je suis Olivia. Taryn, c'est ça ?

Mieux vaut s'adresser à la fille en premier : s'il est une personne ici avec qui cela pourrait faire facilement des étincelles, à n'en pas douter, c'est elle.

—Je serais probablement ravie de te rencontrer si je ne venais pas d'apprendre que j'étais de corvée de formation…

Elle est acide, mais je comprends que ça n'a rien de personnel. En soi, c'est déjà une bonne chose, alors je laisse glisser et je la joue diplomate.

—Je vais faire de mon mieux pour que la corvée soit de courte durée, promis. Bon, l'avantage, c'est que j'ai pas mal d'années de bar derrière moi, donc…

Je soutiens son regard, histoire de ne pas me laisser bouffer. De son côté, elle acquiesce, mais ne semble pas convaincue par ma remarque.

—On verra ça…

—J'ai hâte ! dis-je avec une emphase presque théâtrale.

Je me tourne sans tarder vers le type qui tend déjà sa main dans ma direction. Son sourire ne l'a pas quitté.

—Olivia.

—Marco, se présente-t-il d'une voix suave, les yeux pétillants de malice.

De temps en temps, vous rencontrez quelqu'un et vous savez sur-le-champ que vous lui plaisez : c'est exactement l'effet que me fait Marco. Il n'essaie même pas de le cacher, d'ailleurs. À quoi bon ? Il n'existe probablement pas une seule femme sur Terre qui résisterait à un type comme lui : mat de peau, séduisant, charmeur, un sourire à se damner…

—Je ne m'attendais pas à passer une si bonne soirée, ajoute-t-il.

Alors toi, tu vas me compliquer les choses !

—La vie est pleine de surprises…, lui dis-je, un sourire charmeur aux lèvres.

Ma capacité à flirter aussi aisément avec lui est l'indicateur le plus fiable qu'il ne se passera jamais rien entre nous. Ce sont les types comme Cash et Nash qui me donnent des raisons de m'inquiéter. Ceux qui mettent mon esprit au supplice…

—Je ne doute pas que ce sourire mignon tout plein puisse te sauver la mise à l'occasion avec les clients, mais si les boissons ne viennent pas, ils te boufferont sur place, me lance sèchement Taryn, avant de s'éloigner.

Marco lève les yeux au ciel et fait mine de balayer sa remarque d'un geste de main.

—Ne fais pas attention à elle. Elle est en plein syndrome prémenstruel… depuis à peu près dix ans. Mais ça va mieux dès que la boîte se remplit.

J'ai beau être tendue par la réaction de la bimbo, j'acquiesce en souriant.

OK, ça commence bien!

—Il suffirait peut-être qu'elle se détende un peu de la dread…

Marco éclate de rire.

—Ravissante et drôle? OK, je capitule… J'ai hâte de voir ce que cache ce petit sourire mutin.

—Et tu es expert en la matière, pas vrai?

Marco acquiesce d'un air satisfait, son sourire imperturbable.

—Olivia, bienvenue à l'*Hypnos Club*: je sens qu'on va s'entendre, toi et moi…

10

CASH

Je ne suis pas du genre à bouder le boulot, mais je ne déborde pas d'enthousiasme à l'idée de bosser. D'ordinaire, en tout cas. Ce soir, j'attends quelques instants que la boîte se remplisse, puis je vais voir comment s'en sort Olivia. Je voulais lui laisser un peu de temps avant de me montrer, pour éviter de lui mettre inutilement la pression.

Elle a envie de moi, j'en suis sûr. Presque sûr... J'ai surtout l'impression qu'elle redoute le fait d'avoir envie de moi. Raison de plus pour la trouver irrésistible.

Elle veut commencer par jouer au chat et à la souris? Ça me va. Je ne vois pas d'inconvénient à jouer un peu avant de la mettre dans mon lit. Je me trompe rarement à propos des femmes, et quelque chose me dit que ma patience sera récompensée.

Sitôt que j'ai mis un pied dans la salle, mon regard s'attarde, au-delà de la mer de têtes mouvantes, derrière le bar, sur Olivia.

Je n'ai aucun mal à la situer: en partie parce que je dépasse de quelques centimètres le plus grand des clients présents, et parce qu'un demi-cercle de mecs s'est déjà formé autour d'elle.

Elle sourit à un gars en préparant un rhum-coca. Je l'observe tandis qu'elle s'empare de sa carte de crédit, l'insère dans le lecteur, puis le lui tend, comme si elle se prêtait à l'exercice depuis des dizaines d'années.

Elle connaît son boulot. Ça me plaît. Je l'aurais gardée de toute façon, mais qu'elle sache s'y prendre au bar est un plus non négligeable et bienvenu. Cette fille en vaut la peine...

À tous les niveaux...

Je n'ai qu'une envie : laisser mon esprit s'abandonner à mes fantasmes. Prendre le temps d'imaginer qu'une fois la boîte vidée de ses clients, je l'allonge sur le bar, la déshabille et passe ma langue sur sa peau de pêche... Mais je me fais violence pour garder la tête froide : ce qui compte, pour l'instant, c'est sa soirée d'essai. Inutile de lui révéler que sa place est déjà acquise à l'*Hypnos Club*. Si je la teste, c'est plus pour le plaisir du chasseur, que pour rassurer l'employeur potentiel.

Je me fraie un chemin à travers la foule, et longe l'interminable bar jusqu'à me trouver à sa hauteur. Je m'arrête devant le demi-cercle de ses prétendants et attends patiemment qu'elle me remarque. Lorsqu'elle lève enfin les yeux vers moi, elle marque une pause presque imperceptible. Je doute que qui que ce soit l'ait remarqué, mais qu'importe : moi, je l'ai remarqué, et c'est tout ce qui compte.

Elle passe sa langue sur ses lèvres avec nervosité. Je lui adresse un clin d'œil, juste pour voir comment elle va réagir. Nouvelle pause fugace. Ses pommettes rosissent, et elle détourne le regard.

Lorsqu'elle plisse légèrement les yeux, je me demande si elle s'en est seulement rendu compte.

OK, ça, ça me plaît... Elle réagit physiquement à ma présence sans même s'en rendre compte.

J'ignore la raison pour laquelle elle est aussi déterminée à me résister : je suis taquin, mais pas malveillant ; athlétique, à la tête d'un bon business, et – si j'en crois ma réputation –, j'ai un succès incroyable auprès des femmes.

Je me rapproche du bar, m'accoude au comptoir et me tourne vers les types.

—Alors, les gars ? Cette charmante hôtesse est en plein test d'embauche ! Vous en pensez quoi, dites ?

La meute se met à hurler à la lune : Olivia a déjà son fan-club. Elle va faire un carton…

J'entends des mots pleins de promesses percer à travers les cris bestiaux : « Chante un coup ! », « Danse pour nous ! », « Ouais, sur le bar ! ». Puis, petit à petit, l'assemblée scande deux mots qui s'élèvent au-dessus des autres : « Body shot ! », « Body shot ! ».

Tendue, Olivia observe les loups décider de son sort.

J'annonce le verdict d'une voix sans appel.

— Et un « body shot », un !

Je me tourne vers Olivia et lève les mains comme pour me dédouaner de tout.

— Le bar a parlé.

Elle m'adresse un hochement de tête discret et, esquissant un sourire, s'essuie les mains sur le jean.

— Choisis ta victime.

Elle mord doucement sa lèvre inférieure en passant en revue les types qui l'entourent. Inutile de leur demander : chacun des bougres crève d'envie d'être l'heureux élu. Malheureusement pour eux, Olivia est loin d'être idiote. Elle sait que je la teste et que l'enjeu va au-delà d'un simple test d'embauche. Plus que d'hésiter, elle cherche la réaction la plus appropriée à la situation délicate dans laquelle je l'ai mise.

Comme elle a déjà bossé dans des bars, elle sait qu'il est stricte-ment interdit aux employés de boire durant leur service. Aussi, elle ne peut choisir ni Taryn, ni Marco. Il serait mal vu qu'elle se lance dans ce genre de show suggestif avec un client, elle le sait parfaitement. Elle cogite.

Petite futée…

J'attends de ceux qui passent un test d'embauche à l'*Hypnos Club* qu'ils parviennent à faire passer une soirée d'enfer aux clients sans jamais transgresser les règles. Je suis, moi-même, tout sauf un modèle de docilité et d'obéissance, mais je suis strict avec mes employés. Ce bar est mon gagne-pain, après tout. Je ne peux pas me permettre les bastons et les procès.

Mes yeux restent braqués sur Olivia, tandis qu'elle réfléchit. Lorsque son regard croise le mien, je sens qu'elle comprend que je suis sa seule option valable. Je crois apercevoir un soupçon d'excitation dans ses yeux, mais me demande si ce n'est pas juste ma libido qui parle. Ce que je suis certain de remarquer, en tout cas, c'est cette fierté qui l'avait déjà poussée à bâillonner sa timidité lors de notre première rencontre. Et ça m'excite plus que jamais...

Elle se tourne vers les types rassemblés autour d'elle et leur décoche un sourire charmeur.

—Vous pensez que mon boss aura le cran de se prêter au jeu?

Quelques taquineries bon enfant s'élèvent, suivies de tapes sur l'épaule. Les encouragements virils sont teintés de convoitise. Je regarde Olivia et acquiesce.

Je tends la main. Elle la regarde, prend une profonde inspiration, puis glisse ses doigts contre ma paume. Je l'assure fermement, tandis qu'elle pose un genou sur le bar et se hisse sur le comptoir.

—Un peu de place, les gars!

Les types prennent leur verre de façon qu'Olivia puisse s'allonger.

—Marco! Body shot de Patrón par ici!

En poste un peu plus loin derrière le bar, Marco abandonne la fille dont il s'occupait pour se charger du verre, de la coupelle de sel et des deux quartiers de citron.

Au lieu de laisser le matos et de repartir, il décoche un grand sourire à Olivia.

—Allonge-toi, beauté. Je m'occupe de tout...

En temps normal, j'attends du barman qu'il fasse exactement ce que vient de faire Marco. Je ne m'implique dans l'animation du bar que lorsque je n'ai pas d'autre choix. Mais ce soir, lorsqu'il s'avance, je n'ai qu'une envie : le repousser et préparer moi-même Olivia pour le *shot*...

Mais je n'en fais rien.

Olivia s'allonge et ondule des hanches pour trouver une position avantageuse sur la surface inconfortable du bar.

Les mâchoires serrées, j'esquisse un sourire, tandis qu'il dépose un quartier de citron sur le ventre nu d'Olivia, et décrit quelques cercles humides autour de son nombril. Elle lève les yeux vers lui, un sourire aux lèvres. Le salaud en salive presque.

Je grince des dents et me surprends à ressentir une pointe de jalousie.

Qu'est-ce qui t'arrive ? Cette fille te vrille l'esprit…

Tous ceux qui me connaissent savent que la jalousie n'est pas dans mon vocabulaire. Il y a trop de femmes volontaires sur cette Terre pour que je perde mon temps avec celles qui résistent. Me laisser bouffer par l'envie, ce n'est pas mon truc.

En temps normal.

Ce fourbe de Marco prend son temps. Lentement, il humecte sa peau, la saupoudre d'un infime voile de sel… Taryn met aussitôt la musique spéciale « body shot » : « Pour Some Sugar on Me » de Def Leppard. Ça met la clientèle en ébullition, et tout le monde comprend vite ce qui va se passer. D'ordinaire, je ne prends pas vraiment garde à la musique, mais ce soir, je me laisse submerger. Je n'ai plus qu'une chose en tête : me laisser porter par les basses, verser la liqueur sur le corps d'Olivia, et prendre tout mon temps pour laper celle-ci jusqu'à la dernière goutte…

Je m'apprête à bousculer un peu Marco lorsque, répondant à mon empressement, il tend son verre à Olivia et s'apprête à déposer un deuxième quartier de citron entre ses lèvres. Je ne peux refréner un sourire lorsque je la vois tendre la main et s'emparer du citron pour s'en charger elle-même. Peut-être que le désir que je lis dans les yeux de Marco n'est pas si réciproque que ça…

Je me sens tout-puissant.

Olivia se tourne vers moi ; ses yeux grands ouverts trahissent son appréhension. Je me penche et murmure à son oreille.

— Si tu te sens mal à l'aise, personne ne t'oblige à le faire.

Je me redresse et retiens mon souffle, tandis que j'attends sa réponse… et je prie pour que son courage l'emporte sur ses craintes.

Et c'est le cas.

Lentement, Olivia secoue la tête et joue des hanches pour se rapprocher de moi sur le bar. Ses yeux pétillent d'une détermination farouche… Elle me défie du regard.

C'en est assez pour que mon sexe commence à se sentir à l'étroit dans mon jean.

Je souris à Olivia.

—OK, tu l'auras voulu, lui dis-je juste assez fort pour que les types autour m'entendent.

Ils m'encouragent.

Je me penche vers elle et, lorsque je pose ma langue sur la peau délicate de son ventre, je sens ses muscles se contracter. Le sel et l'acidité du citron me font saliver au point que je dois fermer la bouche pour déglutir. Ma langue prisonnière, j'embrasse son ventre, puis, une fois mes lèvres de nouveau ouvertes, je lèche la peau nue autour de son nombril.

Impassible, elle me laisse laper le reste du sel. Lorsque j'ai terminé, je lève les yeux vers elle et la vois se déhancher pour se rapprocher de moi. Le mouvement est subtil ; trop peut-être pour que qui que ce soit l'ait remarqué. À part moi.

Ceignant sa taille d'un bras pour la maintenir immobile, j'enfouis ma langue dans son nombril. La caresse humide la fait tressaillir et, malgré la musique assourdissante, je perçois son halètement.

Lorsque je relève la tête, nos regards se croisent et, qu'elle le veuille ou non, je ne vois plus qu'une chose dans ses yeux : du désir. Le genre de désir embrasé et aveugle qui vous pousse à plaquer une personne contre un mur à lui faire l'amour sans plus attendre.

Sans me détourner de son regard, je m'empare du verre et descends le Patrón d'une traite. Sa poitrine se soulève lorsque, voyant mon visage s'approcher du sien, elle prend une profonde inspiration.

Je passe une main derrière sa nuque, attire sa tête vers moi, puis mords à pleines dents le quartier de citron qui trône entre ses lèvres pour en aspirer jusqu'à la dernière goutte. Le truc, c'est que pas une seconde elle ne desserre les dents pour me l'abandonner, et je ne peux m'empêcher de me demander si elle fantasme au même scénario que moi : bar désert et rien d'autre entre nous que la chaleur du désir.

Quand je me redresse, une fois le show terminé, je vois bien qu'elle partage ma frustration. M'est avis que si nous étions effectivement seuls ici, elle aurait du mal à refuser même la plus indécente de mes propositions.

Marco nous tire tous deux de nos rêveries.

— Bienvenue à l'*Hypnos Club* !

Une fois encore, les mecs m'acclament à tout rompre. Je lis dans le sourire absent d'Olivia que, même si elle accepte de laisser derrière elle notre jeu suggestif pour se consacrer aux loups qui la dévorent du regard, le retour à la réalité lui coûte autant qu'à moi. Pour autant, après quelques secondes, elle parvient à reprendre le dessus et, triomphante, lève bien haut ce qu'il reste du citron.

Elle me lance un sourire effronté, pivote sur ses fesses, descend du comptoir d'un bond, et reprend son poste de serveuse comme si de rien n'était.

— OK, les gars, qui a besoin d'un petit remontant ?

En quelques secondes à peine, elle a repris le contrôle pour endosser son taf de serveuse de l'*Hypnos Club*. Mon seul souci, désormais, est de tenir Marco à distance…

11

OLIVIA

À PEINE ÉVEILLÉE, JE REPENSE À CASH… TOUT DU MOINS, À la langue de Cash sur mon ventre, qui explore mon nombril…

Et ce regard intense qui ne m'a pas lâchée… Raah, j'aurais pu le dévorer sur place ! Et sans sommation ! J'ai vraiment un faible pour les bad boys…

Je suis incapable de résister aux mauvais garçons… Pourtant, ma tête me hurle de me caser avec un type plus posé et fiable. Un type comme Nash.

Nash…

Son seul prénom suffit à faire chavirer mon cœur. Il n'est clairement pas moins appétissant que son frère – en même temps, ils sont jumeaux –, et, même s'il n'a pas ce tempérament rebelle qui m'attire comme le nectar attire les abeilles, il est bourré de qualités tout aussi irrésistibles.

Mon téléphone sonne. Je regarde l'écran, mais aucun nom n'apparaît : j'ignore qui m'appelle. J'hésite à décrocher, mais, comme je suis déjà réveillée, je cède à la curiosité.

—Allô ?

—Eh…, me lance une voix éraillée à l'autre bout du fil.

Il me suffit d'une fraction de seconde pour reconnaître mon interlocuteur et, aussitôt, une vague d'excitation vient réchauffer mon ventre.

—Salut…

C'est Cash.

—J'aurais préféré te parler hier soir avant ton départ.

Le commentaire me rappelle un épisode fâcheux de la veille. Quelques minutes avant d'inviter les derniers clients à quitter les lieux, Taryn avait disparu dans la pièce à l'intérieur de laquelle j'avais vu Cash entrer un peu plus tôt. Ni l'un ni l'autre n'en était ressorti. Marco m'a montré comment fermer les locaux et, une fois ses conseils prodigués, m'a proposé de me raccompagner à ma voiture. Je me suis empressée d'accepter sa proposition. J'étais clairement vexée, et il était hors de question que j'attende Cash comme un toutou patient : peu importe qu'il devienne ou non mon employeur. C'est une question de principe. Sur le coup, je n'ai pas pu m'empêcher de me dire qu'il était comme tous les autres types dans son genre, comme tous les bad boys : jamais à court d'idées pour s'éclater, mais d'une infidélité crasse.

Cela dit il n'a, à ma connaissance, aucune raison d'être fidèle à qui que ce soit ; même si je doute fort que ce mec soit célibataire.

Je secoue la tête pour balayer de mon esprit l'image de Cash casé avec une autre fille.

Ce ne sont pas mes affaires, et c'est très bien comme ça. C'est mon employeur, rien de plus. Point final.

—Taryn et toi étiez occupés. Je ne voulais pas vous déranger.

Mon ton spontanément trop sec m'agace, alors je me radoucis.

—Marco m'a tout expliqué, de toute façon. Aucun souci.

—Oh, Marco s'en est chargé ?

Je rêve ou c'est lui qui a l'air agacé, là ?

—Ouaip. Il a vraiment été sympa.

Il se racle la gorge et marque une pause.

—Bref. Taryn est venue me parler d'un truc qui la chiffonnait. C'est d'ailleurs pour cette raison que je t'appelle.

J'éprouve aussitôt un vif soulagement et ma réaction m'exaspère au plus haut point. J'enrage, même. Qui plus est, je suis inquiète : je le sens mal, ce coup de téléphone.

—Un problème ?

— Écoute, je ne suis ni du genre à tourner autour du pot, ni du genre à m'impliquer dans des rivalités puériles, alors je vais te dire les choses comme elles sont : Taryn n'a aucune envie de te former. Elle n'a pas justifié sa demande : elle ne veut pas s'en charger, c'est tout. J'ai mon idée sur son manque de motivation, mais ce serait hors sujet d'en parler. Tout ce qui compte, c'est que je te veux à l'Hypnos Club et que si je veux que tout roule, quelqu'un doit te former. Si elle ne veut pas bosser avec toi, c'est son problème : libre à elle d'aller s'éclater ailleurs ou de s'accommoder de ta présence.

— Je ne suis pas sûre de suivre… Qu'est-ce que ça signifie ?

— J'ai été clair avec Taryn, et elle a décidé de rester avec nous. Pour ta formation, c'est toi qui vois : si tu veux que ce soit elle qui s'en charge, elle s'y collera ; dans le cas contraire, c'est moi qui m'en chargerai.

Mon cœur chavire rien qu'à l'idée de passer de longues heures avec Cash – ce rapprochement s'annonce délicieusement troublant.

— Marco ne peut pas me former ?

Le silence qui suit me semble interminable. Lorsque Cash reprend, son ton est étrangement sec.

— Non. Ce n'est pas son boulot.

Mon esprit turbine à cent à l'heure, et je ne peux m'empêcher de sourire à l'idée que Cash soit un tantinet jaloux de son collègue.

— Je ne sais pas trop… Je n'ai pas envie que Taryn pense que je l'évite, qu'elle m'intimide ou je ne sais quoi. Et en même temps, je n'ai pas envie de la mettre en porte-à-faux. Je veux dire… Elle ne m'apprécie pas ? Et alors ? C'est son droit le plus strict.

— Son boulot ne consiste pas à t'apprécier, de toute façon. Son boulot, c'est de te former. Tu ne mets personne en porte-à-faux.

Je n'hésite pas si longtemps que ça : quels que soient mes rapports avec Taryn, je sais que si je passe trop de temps avec Cash, ça risque de mal finir. Je ne me fais pas confiance : dès qu'il est près de moi, je ne réponds plus de rien…

— Dans ce cas, je veux bien qu'elle me forme.

— Ça marche. Et si elle te pourrit la vie, surtout, tu n'hésites pas à venir m'en parler.

—OK.

Bien entendu, je n'en ferai rien : je compte bien me débrouiller toute seule. Soit Taryn et moi apprenons à nous apprécier, soit nous apprenons à bosser avec quelqu'un qu'on déteste.

Je passe une main dans mes cheveux emmêlés, et prie pour qu'on parvienne à s'entendre. Bosser avec quelqu'un qui ne me supporte pas serait une trop grosse source de stress pour moi.

—Elle a demandé à avoir sa soirée, donc je n'aurai besoin de toi que le week-end prochain. Après, si tu le souhaites, rien ne t'empêche de venir vendredi soir ; elle sera là.

La vérité, c'est que j'ai besoin d'argent. Mes cours ne reprenant que le jeudi à 11 heures, c'est tout à fait jouable… Mais il ne faudrait pas que ça devienne une habitude.

—Pas de souci pour vendredi. Ça me va.

—Très bien.

J'entends à sa voix qu'il sourit au bout du fil, et je suis soulagée qu'il n'ait pas mal pris que je préfère être formée par quelqu'un d'autre.

De toute façon, il doit avoir trop d'ego pour s'imaginer que je peux lui préférer quelqu'un d'autre, quel que soit mon choix…

—Bon, si tu as besoin de quoi que ce soit d'ici là, appelle-moi. J'ai toujours mon portable avec moi.

—Comment est-ce que tu as eu mon numéro, d'ailleurs ?

—C'est un trou du cul qui me l'a filé. Nash, il s'appelle.

—Nash ? Un trou du cul ?

—Ouais, un sacré trou du cul. Tu ne vas pas me dire que ce type est autre chose qu'un trou du cul ?

Je pars d'un petit rire crispé.

—Je n'ai pas vraiment l'impression que c'en est un, non. Il a toujours été très sympa avec moi.

—Je n'en doute pas : t'es un vrai petit pétard. Tu connais un type qui ne serait pas sympa avec toi ?

—J'en connais pas mal, oui.

—Tu connais pas mal de trous du cul, dans ce cas.

—Ah, eux aussi ce sont des trous du cul ?

—Ouaip.

—Tu vois des trous du cul partout, aujourd'hui?

—Ouaip. C'était le mot du jour sur mon PQ.

Cette fois, je ris de bon cœur.

—Oh?

—Ouaip. D'ailleurs, tu peux t'estimer heureuse d'avoir échappé à celui d'hier.

—Je ne doute pas que j'en aurais eu les oreilles qui grincent.

Sa voix se fait plus grave, et prend des intonations presque provocantes.

—Les pommettes qui rougissent, surtout…

Je reste silencieuse et sens une vague de chaleur assaillir mes joues. La sensation, si dérangeante soit-elle, est trop plaisante, et je comprends que j'aurais beau éviter ce type à longueur de journée, ça n'y changerait rien : je devrais éviter de fréquenter ce genre d'homme, mais je n'ai quasiment aucune chance de lui résister…

Et merde!

—Passe une bonne journée, Olivia. On se voit vendredi.

Sur ces entrefaites, il raccroche, et je me retrouve là, étendue sur mon lit à m'imaginer ce que ce serait de succomber à la tentation et de m'abandonner à mes désirs…

À peine sortie de la douche, j'entends des voix. C'est inhabituel. Enfin, ce qui est inhabituel, ce n'est pas tellement le couinement aisément reconnaissable de Marissa, mais la voix forte qui le couvre : c'est celle de Nash. Je me faufile aussitôt jusqu'à leur porte et l'entrouvre juste assez pour que, la tête plaquée contre le battant, je puisse entendre leur conversation.

Tu es pathétique, Olivia, tu en as conscience?

Amusée comme une gosse par ma petite entreprise d'espionnage, je réprime de justesse un gloussement.

—Comment tu peux m'annoncer un truc pareil à la dernière minute! J'ai déjà prévu quelque chose! Et puis, ça ne me laisse même pas assez de temps pour récupérer une nouvelle robe!

Au ton qu'elle adopte, je comprends qu'elle essaie de garder son calme, preuve s'il en est qu'elle affectionne Nash au point de déployer des efforts surhumains pour lui cacher combien elle est capricieuse. Cela dit, je me demande à quel point il est dupe… et ce que ça donnerait si elle lui hurlait au visage, sans plus de retenue, ses exigences de petite princesse.

—Je ne savais pas que j'allais rentrer, sinon je t'aurais prévenue plus tôt. Je comptais te faire une surprise.

Si Nash parle fort, c'est uniquement pour couvrir les cris plaintifs de Marissa.

—Et je suis censée faire comment, moi? Mon père va être furieux si j'annule au dernier moment! Déjà qu'il…

—Ne te bile pas pour ça…, intervient-il d'une voix apaisante. Je peux toujours y aller avec quelqu'un d'autre.

Le silence qui suit est lourd d'une telle intensité que je la perçois sans mal, même cachée derrière la porte presque close.

Recule, Nash! Elle va exploser!

—Tu penses à quelqu'un en particulier?

Sa voix est glaciale. Je me demande si Nash sait ce que cela signifie, et ce qu'il risque en s'aventurant sur cette voie.

—Non, je ne pense à personne en particulier, puisque c'est toi que j'avais en tête et que je n'imaginais pas que tu ne pourrais pas venir. Cela dit, même si c'est au dernier moment, je suis sûr que je pourrai trouver quelqu'un. Ne t'inquiète pas.

Je manque de m'étouffer de rire: «Ne t'inquiète pas»? Marissa doit fulminer… D'ailleurs, je sens presque l'odeur de fumée qui s'échappe de son cerveau en surrégime, tandis qu'elle cherche à trouver quelqu'un qui, en plus de ne pas lui arriver à la cheville, est suffisamment pitoyable à ses yeux pour ne rien avoir prévu pour la soirée.

—Pourquoi pas Olivia? propose-t-elle. Je suis sûre qu'elle serait ravie de t'accompagner. Sans compter qu'avec tout le mal que tu t'es donné pour elle, elle te doit bien ça.

Malgré moi, la mâchoire m'en tombe.

Non, mais elle me prend vraiment pour la dernière des minables !

— Merci pour la suggestion, mais elle bosse le week-end, non ?

— Si elle a eu le boulot à l'*Hypnos Club*, son emploi du temps a peut-être changé ?

— Peu importe, je ne vais pas la réveiller simplement pour le lui demander. Je crois qu'elle a bossé tard hier au soir, non ?

— Oui, mais ça ne la dérangera pas. Je vais lui demander.

Nash commence à rétorquer, mais, lorsqu'il se tait soudainement, je comprends que Marissa a déjà tourné les talons et s'apprête à venir me trouver. Je ferme doucement la porte et me rue dans la salle de bains où je ferai mine de sortir de la douche ; ce qui est le cas, d'ailleurs.

— Olivia ? m'interpelle Marissa après avoir martelé ma porte et être entrée dans la foulée sans même attendre ma réponse.

Je suis à deux doigts de lui faire remarquer son incorrection.

Chieuse !

— Je suis dans la salle de bains ! lancé-je d'un ton plutôt sec.

Par l'entrebâillement de la porte, je la vois traverser la pièce à grands pas. Elle ouvre la porte sans plus de cérémonie, la colère se lit sur son visage.

— Tu bosses ce soir ? Si tu ne bosses pas, j'ai besoin que tu accompagnes Nash à une expo. Tu lui es redevable.

Culpabilisation, chantage : du Marissa tout craché. Quelle fierté que d'être apparentée à la fiancée du diable…

Prudente, je me retiens de pester et lui réponds d'un ton ampoulé, mais diplomate :

— Écoute, je ne bosse pas ce soir. Pour autant, je me dois de décliner cette proposition : je ne possède pas de tenue adéquate pour une soirée mondaine.

Elle balaie ma remarque d'un geste agacé.

— Tu piocheras dans mes affaires. Tu devrais trouver quelque chose…

Elle qui se plaignait de ne pas avoir de robe convenable pour l'occasion n'a pas le moindre scrupule à m'y envoyer sans tenue correcte.

— Si Nash se fiche que je ne ressemble à rien, pourquoi pas…

Marissa se met à glousser, hautaine au possible.

— Olivia, je suis sûre que, quoi que tu portes, Nash n'y prêtera pas attention…

OK : là, je vois rouge. Rouge ! Elle me cherche ? Défi relevé : même si je dois me coudre une robe d'enfer en sept minutes, je vais faire sensation, ce soir ; particulièrement auprès de Nash. Marissa va regretter sa suffisance…

Bien entendu, je n'explose qu'intérieurement : devant Marissa, j'arbore un sourire généreux.

— Dans ce cas, je l'accompagnerai avec plaisir.

Elle se retourne alors et quitte la pièce sans un « merci », ni même un « j'espère bien, connasse ». Lorsque je l'entends dire à Nash qu'il peut compter sur moi et qu'elle fera son possible pour me rendre présentable, je ne peux m'empêcher de me demander si ça dérangerait vraiment quelqu'un sur cette planète de la retrouver avec un pic à glace en pleine poitrine.

Qui sait : avec un peu de chance, on pourrait même me décerner le prix Nobel de la paix pour avoir débarrassé l'humanité de ce fléau ? Et si ce n'est qu'un coup de fil du Vatican pour me remercier, je m'en contenterais…

Jubilant à cette seule pensée, je ne réprime pas, cette fois, un ricanement de mépris.

12

NASH

TANDIS QUE J'ATTENDS QU'OLIVIA SORTE DE SA CHAMBRE, JE ne peux m'empêcher de ressentir une certaine culpabilité : je ne devrais pas avoir à ce point hâte de passer la soirée avec elle.

Pourtant, c'est le cas. J'en meurs d'envie…

—Nash ? m'interpelle Olivia.

Je me tourne en direction de sa chambre. Depuis le salon, j'en aperçois la porte entrouverte. Si je peux entendre Olivia, elle échappe à mon regard.

—Oui ?

—Promets-moi que si ma tenue te met mal à l'aise, tu iras sans moi… Je ne t'en voudrai pas, c'est promis !

—Habille-toi comme tu veux, Olivia, vraiment, je…

—Promets-le-moi ou je ne prends même pas la peine de sortir de ma chambre.

Têtue ? Je suis surpris, tiens… Pour autant, je ne peux pas dire que ça me déplaise. Au contraire…

Je lâche un rire sincère.

—Très bien : je promets que si ta tenue est trop embarrassante, je file à l'expo sans toi.

La porte se referme et, après une longue pause, elle se rouvre entièrement. Ce que je découvre alors est à couper le souffle…

Marissa est plus grande qu'Olivia ; plus fine aussi, mais Olivia a des courbes à se damner… Des courbes sublimées par la robe qu'elle porte.

Je crois que j'ai déjà vu Marissa la porter… Elle était superbe là-dedans, mais, Olivia… Olivia est sublime.

Le tissu satiné de la robe, rouge sombre et aussi fin qu'un voile de soie, ondoie gracieusement, tandis que la porte se referme. Olivia, immobile, me laisse le temps d'apprécier sa tenue avant de s'avancer vers moi. Je serre les dents de justesse : un peu plus, et elle avait en face d'elle un type décérébré à la mâchoire pendante. Le tissu délicat épouse ses courbes parfaites et me permet aisément de deviner à quoi elle ressemble dévêtue…

Par tous les saints, ce que j'aimerais qu'elle le soit…

Je chasse cette pensée de mon esprit, sachant que si je me laisse aller à ce genre de fantasmes, je ne finirai pas la soirée…

Pense avec ta tête, Nash ! Pense avec ta tête !

Plus désirable que jamais, elle se dirige vers moi avec une grâce incroyable. La peau nue de ses épaules et de son décolleté luit sous la lumière tamisée du salon. Je n'ai qu'une envie : la caresser. Le désir est si fort que j'en serre les poings pour ne pas commettre l'irréparable.

—Tu es magnifique…

Même à mes propres oreilles, ma voix sonne mal assurée.

Elle grimace.

—C'est trop moulant, c'est ça ? J'ai mis des talons pour compenser un peu la longueur, mais pour le reste, je ne peux pas faire grand-chose…

Elle a l'air sincèrement ennuyée. Si sa détresse me donne envie de sourire, je m'en garde bien : je ne suis pas assez téméraire pour provoquer une femme en panique.

—Marissa est dix fois plus mince que moi ! lâche-t-elle en agitant une main affolée. Et je n'ai rien de convenable dans ma garde-ro…

Je tends le bras et saisis sa main agitée, tout en déposant délicatement mon autre index sur ses lèvres.

—Chuuut…

Elle s'arrête aussitôt de parler. De fait, il y avait mille autres façons de la faire taire sans la toucher, mais au moins je ne l'ai pas embrassée comme j'en avais secrètement l'intention…

Qu'est-ce que j'ai envie de goûter cette bouche, c'est fou…

Il me faut quelques secondes pour focaliser mon attention sur autre chose que le discret écartement de ses lèvres. Il me suffirait d'un rien pour y glisser le bout de mon index, sentir la chaleur de sa bouche… la moiteur de sa langue.

Je suis à la fois surpris et contrarié d'avoir l'impression que mon pantalon de smoking vient de rétrécir d'une taille au niveau de l'entrejambe… Je vais devoir redoubler de vigilance avec elle : je n'ai même pas souvenir de la dernière fille à avoir à ce point éprouvé ma retenue.

Je ne suis pas si honnête que ça, en y réfléchissant bien… Libby Fields dans sa petite robe moulante m'a laissé un souvenir impérissable. Je me souviens de la fête de fin d'année durant laquelle elle s'est assise sur mes genoux… Si elle avait remué les fesses une fois de plus, je n'aurais rien eu à envier au Vésuve.

Rien de fâcheux n'est arrivé, mais ce n'est pas passé loin. Et voici que cette fille, cette brunette pulpeuse et terriblement craquante, cette petite contradiction sur pattes, est en train de déloger sans ménagement Libby Fields de son piédestal. Il me paraît important de préciser que l'exploit est d'autant plus remarquable que je n'ai plus quatorze ans… mais vingt-cinq.

Je me racle la gorge.

—Pas un mot de plus. Tu es sublime. Même dans ses rêves les plus fous, Marissa ne porterait pas cette robe de façon plus irrésistible que toi. Tous les hommes ici présents vont être verts de jalousie.

J'appuie ma déclaration d'un sourire.

Je vois bien qu'une trace d'inquiétude habille encore son front, mais lorsqu'elle prend mon poignet pour éloigner ma main, je la sens plus rassurée. Je lis à la courbe discrète de sa bouche qu'elle réprime un sourire.

—Tu le penses vraiment ?

—Vraiment.

—Vraiment, vraiment ?

—Vraiment, vraiment. Mais n'oublie pas : qu'importent les jaloux. Ce soir, tu es à moi.

J'éprouve un plaisir coupable à entendre mes propres mots et à imaginer qu'Olivia soit vraiment mienne.

Elle sourit sans plus de retenue et libère mon poignet pour mieux me saluer.

—Chef, oui, chef !

J'aime son espièglerie. Cela me change tellement de Marissa qui… comment dire… qui en est totalement dépourvue…

—Ah ! Voici qui est mieux ! J'aime les femmes dociles ! Hmm, pardon ! Ça prête peut-être légèrement à confusion…

Elle s'esclaffe à ma plaisanterie d'une subtilité douteuse.

—Personne ne me tient en laisse, monsieur ! rétorque-t-elle, la voix pleine de défi.

Puis, lentement, un sourire mutin se dessine sur ses lèvres.

—Tout du moins, pas avant un bon dîner et un petit coup à boire…

—Oh ! C'est donc ça, le programme ? Ça tombe bien, il y a un McDo au bout de la rue.

Je lui offre mon bras, et elle y dépose délicatement sa main. Je sais que c'est aussi pathétique que puéril, mais je contracte mon biceps, espérant qu'elle le remarque…

—Marissa t'a mise dans son lit avec un cheeseburger ? me demande-t-elle d'un ton suggestif, le regard rivé dans le mien.

—Je suis un jeune premier de vingt-cinq ans qui termine son stage de fin d'études dans l'un des cabinets d'avocats les plus influents d'Atlanta. Si une femme me veut dans son lit, elle doit se fendre au minimum d'un flamant rôti au miel, d'une louche de caviar et d'un Mouton Rothschild.

Je m'arrête devant la porte, l'ouvre, puis fais signe à Olivia d'avancer.

—Cela dit, le regard que tu viens de me lancer vaut bien tous ces mets réunis…

Ses pommettes rosissent, et, timide, elle baisse les yeux. Si je m'écoutais, à cet instant précis, je déchirerais sa robe avec les dents…

—Qu'insinuez-vous, colonel?

—Colonel? Après une flatterie pareille, je n'ai pas droit à mieux que ça?

—Attends voir… Tu as obtenu assez de galons pour que je te donne du «général»?

Nous marchons à pas mesurés jusqu'à ma voiture.

—Tout dépend de la façon dont on monte en grade.

Une nouvelle fois, je devine qu'elle réprime un sourire.

—Tous les hommes les obtiennent de la même façon, non? réplique-t-elle d'un ton faussement détaché, laissant son sac à main rouge se balancer nonchalamment à son poignet.

—Si nous pensons à la même chose, ma chère, je te le dis sans détour: tu as devant toi un général cinq étoiles.

Elle éclate de rire. De toute évidence, elle ne s'attendait pas à ma réponse. Quoi qu'il en soit, j'en suis assez fier: l'entendre rire ainsi est plus suave à mes oreilles que la plus douce des symphonies.

Je ressens une certaine déception quand nous arrivons à la voiture. Je crois que j'aurais pu passer la soirée – la nuit, même –! – à marcher à ses côtés et à faire durer ce petit jeu de séduction.

13

Olivia

Dans la voiture baignée de silence, la tension, bien que supportable, est palpable. Quand je parle de tension, d'ailleurs, soyons clair, il s'agit uniquement de tension sexuelle…

Est-ce que Nash ressent la même chose ?

Peut-être que non. Peut-être flirte-t-il ainsi avec toutes les filles qui croisent son chemin.

Je prends le temps d'y réfléchir un peu plus, et en conclus que cela serait aussi décevant de sa part qu'insultant. Pour autant, je ne crois pas une seconde que ce soit le cas. C'est peut-être juste mon ego qui parle, mais je pense qu'il n'est pas coutumier du fait.

Je l'espère en tout cas.

Je ne sais pas pourquoi, mais je l'imagine vraiment fidèle, et je serais surprise d'apprendre qu'il a trompé Marissa.

Pour tout dire, je pense que c'est un type bien. Un vrai de vrai. Du genre de celui qui manque désespérément à ma vie. Le truc, c'est que c'est justement parce que c'est un type bien que je ne lui mettrai jamais le grappin dessus : les types bien ne trompent pas leur petite amie. Conclusion : il ne pourra jamais rien se passer entre Nash et moi. Qui plus est, même s'ils rompaient un jour, il est sûrement trop attentionné pour la blesser en sortant avec sa cousine après leur séparation.

Comme le crierait Shawna : « Ça pue des miches, cette histoire ! »

— Alors, tu arrives à résoudre ton problème ?

La voix grave et séraphine de Nash interrompt mes rêveries.

— Quel problème ?

— Celui de la faim dans le monde.

J'ai tout à fait conscience qu'à cet instant précis, je dois le dévisager comme s'il venait de lui pousser des ailes ou qu'un troisième œil venait d'apparaître sur son front. Son regard navigue de la route à moi à plusieurs reprises, puis il éclate de rire.

— Navrée, au cas où cela n'a pas été suffisamment clair : j'étais ailleurs.

— C'est le moins qu'on puisse dire ! me taquine-t-il, le sourire aux lèvres. Tu ressemblais comme deux gouttes d'eau à un processeur en surrégime. Tout va bien ?

Je repose ma tempe contre l'appuie-tête de cuir et contemple le profil angélique de Nash. Sa coiffure impeccable jure avec les cheveux bordéliques de son frère, et, avec sa peau tannée, il ferait un James Bond de premier choix. De fait, j'ai succombé à son charme comme je l'aurais fait si j'avais été dans la voiture de l'agent du MI6.

J'aimerais qu'il soit « dangereusement mien »…

— Tu es fait pour porter des costards, tu le sais, n'est-ce pas ?

Il fronce les sourcils, mais cela ne l'empêche pas de sourire. Je me redresse soudain et rive mon regard dans le pare-brise.

— Mon Dieu, je crois que je dépasse un peu les bornes, là ! Désolée…

Non, mais tu dérailles, ma pauvre ?

Il pouffe.

— Je suis sûr que tu peux encore faire mieux.

— Dans ce cas, vous ne me connaissez que trop bien, Bond.

Il rit de nouveau.

— Bond ? James Bond ? Je peux savoir ce que tu avais en tête, au juste ?

Je me retourne vers lui et, aussitôt, mes hormones commencent à s'affoler.

— Euh… Je… Enfin, je pensais à *Dangereusement mien* !

Il fronce un sourcil.

— *Dangereusement vôtre*, pardon! Mais comme… Comme c'était dans ma tête à moi, j'ai pensé à *Dangereusement mien* pour… pour déconner!

Bon sang, il n'y a personne pour m'arrêter!

— Mais je ne parlais pas de toi, hein! Je parlais de Bond, James Bond! Bien sûr…

Haletante d'inconfort, je renâcle.

Pitié! Il faut que j'arrête ces bruits immondes!

— Je n'en doute pas…

Son sourire se change aussitôt en arme de séduction massive. Je remarque tout de même qu'avec son sourcil froncé et son sourire fatal, il ressemble à s'y méprendre à son frère. Ces deux-là ne font pas semblant d'être jumeaux…

Je suis incapable de détacher mon regard de lui; ma contemplation presque obsessionnelle a beau être affreusement embarrassante, je ne peux pas m'en empêcher. Puis, enfin, après de longues secondes, je parviens à recouvrer mes esprits et en profite aussitôt pour me sermonner.

Tu débloques complètement, Liv! Tu ne veux pas lui demander de se garer sur le bas-côté et de sauter à califourchon sur ses genoux aussi?

Entre nous, il vaut mieux chasser ce genre de pensées lorsqu'on essaie de garder la tête froide. Rien qu'en imaginant la scène, je me fige, rêveuse, me représentant à califourchon sur le siège de Nash, ses hanches calées sous mes fesses…

Après quelques secondes de catatonie suspecte, je me rappelle l'avoir entendu commenter ma dernière niaiserie déplacée.

— Tu disais? je lui demande, secouant la tête maladroitement pour m'arracher à mes pensées.

Nash fronce les sourcils.

— Tout va bien, Olivia?

Je soupire, puis tourne de nouveau la tête vers le pare-brise.

Note pour plus tard: ne jamais espérer pouvoir réfléchir de façon cohérente en regardant Nash. Les fonctions motrices peuvent également être endommagées durant le processus. Cette activité ne peut s'exercer sans précautions préalables.

Je ricane presque en m'imaginant équipée d'un casque, de genouillères et d'un protège-dents chaque fois que Nash s'approche de moi.

Et puis je pense à tous les avantages que peuvent avoir des genouillères dans certaines situations…

Raaaaah! Stop!

J'avoue que lorsque Nash ralentit pour garer enfin sa voiture dans le parking de la galerie, je suis quelque peu rassurée. Même si aucune signalétique n'annonce que nous y sommes, je me doute que nous sommes arrivés. Par précaution, je fais quelques recherches sur Google pour savoir à quoi m'attendre. La dernière chose dont j'ai besoin, c'est de trébucher sur une marche planquée je ne sais où. S'il y a un homme devant lequel je n'ai pas envie de passer pour une gourde, c'est bien Nash.

Tandis que le voiturier se charge de sa BMW, Nash me tend de nouveau un bras et me guide à l'intérieur de la galerie. J'ai l'impression d'arriver dans la maison de Barbie en pénétrant dans la pièce remplie de peaux bronzées aux U.V., de visages refaits et de chevelures décolorées. En noir et blanc, cela dit, puisque tout le monde a opté pour une tenue noire très stricte. Je suis surprise de constater que, dans ce royaume de bimbos, il n'y a pas le moindre Ken: aux bras des poupées ne s'affichent que des binoclards, des grassouillets et des vieillards. C'est là que j'ai révisé mon jugement, me positionnant davantage pour une sorte de concours de femmes trophées…

Je baisse les yeux vers ma robe rouge et mes formes que je sais alléchantes, puis balaie de nouveau du regard la salle monochromatique. Au moment où je me dis que je ferais mieux de tourner les talons et de fuir le continent, Nash se penche vers moi et murmure à mon oreille :

— Quelque chose ne va pas ?

— J'ai l'impression d'être la seule tache de couleur sur une toile d'art abstrait.

— C'est parce que c'est le cas. Et c'est plutôt une bonne chose, si tu veux mon avis.

Je lève les yeux vers lui. Il sourit. Sincèrement… Il ne semble pas le moins du monde embarrassé par ma tenue, et j'espère de tout cœur ne pas me tromper.

Mentalement, j'enfile ma panoplie de Wonderwoman, celle qui m'octroie une détermination inébranlable : s'il n'est pas gêné par ma tenue, il n'y a aucune raison pour que je le sois. N'est-ce pas ? N'est-ce pas… Je prends une respiration profonde.

—Bon, eh bien, dans ce cas… C'est parti !

Plus nous nous avançons dans la pièce, plus les têtes se retournent sur notre passage. Si ma tenue semble remporter un succès certain auprès des hommes, les femmes n'ont pas l'air de l'apprécier tant que ça.

Nash s'arrête de temps à autre pour papoter avec quelques couples : de toute évidence, il est ici pour affaire. En dehors des compliments de rigueur qu'il adresse aux femmes, il converse essentiellement avec les hommes. La teneur superficielle des échanges me révèle qu'ils ont pour seul but de permettre aux interlocuteurs de se jauger. Fort heureusement, aux hochements approbateurs qu'il récolte çà et là, j'ai l'impression que Nash fait plutôt bonne impression.

Mais pourquoi te soucier de l'impression qu'il fait ? Ce n'est pas comme si sa carrière ou son image auprès de ces gens avait la moindre importance pour toi !

Pourtant, sans trop savoir pourquoi, je me sens concernée.

Malheureusement pour moi, vingt minutes après les préliminaires, les masques tombent et les convives montrent les dents… Voire les crochets et les langues fourchues assorties… Et tout commence avec une connaissance de Marissa.

—Où est passée ta chère et tendre ? demande celle que je surnomme aussitôt « Barbie Langue-de-pute ».

Elle me toise des pieds à la tête avec sur le visage un rictus de dédain qui trahit son inquiétude : j'ai peut-être réussi à mettre ma chère cousine hors jeu.

—Un imprévu. Je ne manquerai pas de lui faire savoir que tu as pris de ses nouvelles.

—Tu es un ange, réplique-t-elle sans même me quitter du regard. Alors ? C'est qui, la coquette ?

La coquette ? Tu veux gober mes talons, Barbie ?

—Olivia, la cousine de Marissa.

—C'est un plaisir de te rencontrer, Olivia, dit-elle avec un regard venimeux. Hyper original, le choix de robe pour la soirée…

Elle acquiesce de façon si hautaine que je peine presque à le croire.

—C'est sa chère et tendre qui l'a choisie, rétorqué-je, revêtant mon plus radieux sourire.

En réalité, je n'espère qu'une chose : qu'une faille tectonique s'ouvre sous mes pieds pour me faire disparaître à jamais.

Ses lèvres gonflées au collagène esquissent un sourire aussi condescendant qu'informe.

—Elle est superbe.

Nash se racle la gorge.

—Je dirai à Marissa de te passer un coup de fil, propose-t-il à Barbie Langue-de-pute avant de se tourner vers son homme. Spencer, on se voit la semaine prochaine.

Ce dernier adresse un bref hochement de tête à Nash, puis me sourit. Il semble désolé que sa « chère et tendre » soit plutôt du genre « chère et toxique ». Je lui souris en retour, espérant pour lui que les douches avec elle en valent la peine, sans quoi l'avenir ne lui promet qu'une vie de misère…

Tandis que nous avançons vers le couple suivant, Nash ne mentionne pas l'échange houleux, et je lui en suis particulièrement reconnaissante. Le nouveau binôme est tout aussi improbable que le précédent. Honnêtement, le type me semble à ce point ringard qu'il ne lui manque, pour obtenir une place sur le podium, qu'une paire de lunettes rafistolée au sparadrap et un protecteur de poche pour son costard. Quant à la fille, je suis prête à parier qu'il l'a dégottée sur le tournage du clip du dernier tube de l'été en Argentine. À moins qu'elle ne soit authentiquement gonflable.

À dire vrai, je les trouve tellement comiques, tous les deux, que je ne les imagine pas une seconde représenter pour moi la moindre menace.

Pourtant, ils n'allaient pas être les derniers à me lancer des pierres. Voire des météorites.

Secrètement, je baptise celle-ci Barbimbo, et me félicite de l'à-propos de ma trouvaille à l'instant même où, Nash et moi arrivés à leur niveau, elle se met à éclater de rire en me regardant.

— J'y crois pas ! Elle s'est trompée de soirée ou quoi ? Non mais « allô », quoi !

Elle ne prend pas la peine d'être discrète. Lorsque, du coin de l'œil, j'aperçois plusieurs visages se tourner vers nous, mes joues commencent à me picoter, et les bras m'en tombent. Je me fige sur place, tandis qu'une horde de curieux me considèrent avec des yeux moqueurs.

Je n'émets pas la moindre remarque, refusant de céder à sa provocation, et me contente de lui adresser un sourire qui, je l'espère, ne trahit pas l'humiliation qui m'envahit.

Nash s'abstient de tout commentaire et, une fois encore, je lui en sais gré. Un mot, et je risquerais de fondre en larmes.

Nous passons au couple suivant, puis à celui d'après, un autre, puis encore un autre, et, chaque fois, la rencontre s'avère plus embarrassante.

Et puis, alors que je pense ne pas pouvoir trouver qui que ce soit de plus venimeux que nos derniers interlocuteurs, le destin me rit au nez en mettant sur mon chemin celle à qui revient de droit le sobriquet de « Barbie Fadasse ».

— Sans rire, tu l'as trouvée où, ta robe ?

Intérieurement, je suis dévastée. Je ne pense plus qu'à une chose : me planquer là où personne ne pourrait plus jamais me retrouver… Après avoir traqué Marissa et l'avoir étranglée avec sa superbe robe, cela va de soi.

Comme cent malheurs n'arrivent jamais seuls, je commence à sentir des larmes perler sous mes paupières. Je papillote des yeux et esquisse un sourire crispé. Mais, lorsque je sens que Nash, posté à mes côtés, commence à se raidir, la rage me submerge : non seulement ces gens me ridiculisent, mais, en plus, Nash doit supporter quotidiennement leur venin dans son boulot !

Je n'essaie même pas de réprimer la repartie cinglante qui meurt d'envie de fuir la prison de mes lèvres.

— Je l'ai volée à une sans-abri, dis-je, impassible. Elle pionçait à côté de la stripteaseuse qui t'a filé la sienne.

Elle reste plantée là quelques secondes, interdite. Puis, lorsqu'elle a enfin compris ce que je venais de lui dire, une expression scandalisée s'installe sur son visage et ses lèvres forment un «O» parfait.

L'espace d'une seconde, je jubile : la voir ainsi, incapable de répliquer quoi que ce soit, m'aide à me sentir mieux. Puis, je me rappelle soudain le jeune homme debout à mes côtés. Celui auprès duquel j'ai d'envie de faire bonne impression.

La culpabilité qui m'assaille me donne l'impression d'avoir plongé la tête dans une bassine d'eau glacée. Je commence à me sentir nauséeuse.

J'esquisse un sourire aimable à Barbie Fadasse et à son homme qui, d'ailleurs, n'a pas la moindre idée de ce qui vient de se passer.

— Je vous prie de m'excuser, je dois me rendre chez les Dames.

Je me tourne ensuite vers Nash.

Les yeux empreints d'autant de sincérité que de détresse, je lui avoue :

— Je suis désolée.

À ces mots, je prends la fuite.

Je balaie le paysage hostile du regard à la recherche du symbole universel représentant les toilettes et, dès que je repère la petite silhouette en jupe, je me rue dans sa direction. Enfin pas tout à fait, sans quoi je risquerais de trébucher et de m'écrouler si je filais à toutes jambes, donnant, par la même occasion, l'opportunité à tout le monde ici de se moquer de moi sans retenue. Pour autant — et c'est peu dire —, je marche particulièrement vite.

Une fois dans les toilettes, je file tout droit vers l'une des cabines, ferme la porte, m'adosse au battant et, enfin seule, laisse couler mes larmes.

Jamais de ma vie, je ne me suis sentie aussi embarrassée. En colère aussi… puis de nouveau embarrassée. Et ces salauds qui se sont montrés aussi blessants en présence de Nash…

Mon Dieu… Ces filles feraient passer les morsures venimeuses de Marissa pour des baisers de papillons! Je comprends mieux pourquoi Nash arrive à la supporter!

C'est maintenant de ma rancœur que naissent mes larmes. J'en veux à ces filles de m'avoir humiliée ainsi, je m'en veux de me soucier d'un homme que je ne pourrai jamais avoir, et j'en veux à cette réalité qui m'a faite aussi incompatible avec un type comme lui.

Après de longues minutes d'apitoiement plaintif et de larmes versées au nom du sac de nœuds qu'est ma vie, je finis par sortir de la cabine. Si je ne réapparais pas rapidement, tout le monde pensera que je suis en train de boucher copieusement les toilettes, ce qui ne risque pas d'arranger mon cas.

Non, saletés de pouffiasses, votre idiotie n'a aucun impact sur mon transit!

Par chance, les toilettes sont vides, ce qui me permet de corriger mon maquillage dévasté à l'abri des regards moqueurs. Je passe quelques serviettes en papier sous l'eau froide, puis les maintiens quelques secondes sous mes yeux comme des compresses, espérant que cela aide à les faire dégonfler. Malheureusement, elles ne font qu'agglutiner mes cils les uns contre les autres.

Je secoue la tête devant le miroir. Je n'ai pas le choix : je vais devoir retourner dans cette pièce la tête haute, le sourire aux lèvres, et prier pour que la soirée se termine sans plus d'incidents.

Tu peux le faire, Liv. Allez!

J'étais à deux doigts d'ajouter à cette dernière pensée : « Fais-le pour Nash », mais, même dans ma tête, cela sonnait aussi stupide que présomptueux : Nash n'est pas mon petit ami, et le fait que je meure d'envie qu'il le devienne ne compte pour rien dans cette équation.

Je prends une profonde inspiration et ouvre la porte des toilettes, prête à m'aventurer une fois de plus dans le nid de vipères… Mais je ne vais pas très loin : je m'arrête net à l'instant même où j'aperçois Nash attendre contre le mur, à quelques mètres des toilettes des femmes. Chevilles et bras croisés, il sourit à peine. Il a l'air un peu triste.

Je reste silencieuse. Je ne sais pas quoi dire. Je me contente de tripoter le petit sac à main qui se balance à mon poignet.

Lorsqu'il me voit, il se redresse, avance dans ma direction et ne s'arrête que lorsqu'il n'est plus qu'à quelques centimètres de moi. Il est si proche que je dois lever la tête pour soutenir son regard.

Avec une délicatesse infinie, il passe son pouce sur ma pommette, remonte jusqu'au coin de mon œil. Je ne peux m'empêcher de me demander si je n'ai pas oublié d'essuyer une trace de mascara.

—Je suis tellement navré…, murmure-t-il en fermant les yeux.

J'ai presque l'impression qu'il souffre, et son visage empreint de regret fait chavirer mon cœur.

—Il ne faut pas. Tu n'es pas responsable de leur méchanceté. J'espère surtout tu ne t'es pas senti trop mal à l'aise, et que je n'ai pas pourri tes chances d'établir un réseau professionnel.

—Je m'en cogne des contacts professionnels. Si c'est ça, le prix à payer pour les décrocher, il est trop élevé.

—Tu t'en cognes? Je croyais pourtant que tu ne venais ici que pour ça. Tu ne devais pas t'attendre à te coltiner une abrutie incapable de tenir son rôle deux minutes dans la haute société.

—S'il y a un abruti, ici, c'est moi. Et pas très honnête qui plus est, sinon, je ne passerais pas des heures à me faire passer pour quelqu'un que je ne suis pas, me confie-t-il, perdu dans ses pensées.

—Ne pas être comme eux, c'est plutôt une bonne chose, c'est sûr, mais tu ne fais rien de plus que jouer selon leurs règles. Tu joues le jeu. Et ces règles, j'ai peur qu'elles fassent loi dans cet univers-là.

—Peut-être. Sûrement même, mais je ne suis pas comme ça. Tout ça, ça ne me ressemble pas.

Il tire avec nervosité sur le revers de sa veste.

—Je ne le fais pas sans raison. Je me donne juste les moyens de parvenir à mes fins. Rien de plus.

Je me renfrogne, perplexe.

—De parvenir à quelles fins?

Le regard brun-noir de Nash s'ancre dans le mien et, l'espace d'une seconde, je jurerais qu'il va me révéler quelque chose. Et puis, soudain, il se radoucit et esquisse un nouveau sourire timide.

— Des fins dont je n'ai pas forcément envie de parler maintenant. Allez, viens…, dit-il en tendant une main vers moi. On se tire d'ici.

Nash me guide vers la porte, et nous quittons les lieux sans nous retourner.

Il ne prononce pas le moindre mot, tandis qu'il m'aide à monter dans sa voiture, la démarre, puis roule vers les quartiers nord de la ville. Je ne lui demande pas où il m'emmène : je m'en contrefiche. Je me réjouis simplement de le savoir à mes côtés, et de laisser derrière nous les médisants. Le reste importe peu.

Lorsque j'aperçois les silhouettes des immeubles s'élever à en frôler les cieux nocturnes, je m'interroge tout de même sur notre destination. Il finit par ralentir, se dirige vers l'entrée d'un parking privé, puis passe une carte devant un lecteur optique. La barrière se lève, et il avance, se gare sur le premier emplacement disponible, puis coupe le moteur.

Il n'a toujours pas dit un mot. Il sort ensuite de sa voiture, m'aide à en descendre, puis me guide jusqu'à un ascenseur.

Je ne pose aucune question. J'avoue que je suis même assez curieuse de savoir où nous allons. Je m'en veux d'éprouver une telle excitation, car Nash n'est pas mon petit ami… Cela dit, je suis submergée par l'émotion, c'est plus fort que moi.

Il passe sa carte devant le lecteur de l'ascenseur, puis appuie sur le bouton correspondant au 24e étage. Les portes se ferment dans un bruit feutré. Nous voyageons en douceur, silencieux, jusqu'à ce que les portes s'ouvrent sur une salle de réception luxueuse à la lumière tamisée. L'éclairage dirigé scintille de mille feux sur le lettrage doré annonçant en grande pompe : « Phillips, Shepherd et Townsend. »

Nous sommes dans le cabinet où Nash travaille. Avec Marissa… et mon oncle. Pour tout dire, mon oncle est l'un des associés de ce cabinet : le « Townsend » de « Phillips, Shepherd et Townsend ».

J'aimerais lui demander pourquoi il m'a emmenée ici, mais je n'en fais rien. Nash prend ma main et m'attire en dehors de la cabine, jusque dans la pièce silencieuse que nous traversons pour nous retrouver bientôt devant de nouvelles cages d'ascenseur. Nous montons encore de deux étages, et, lorsque les portes s'ouvrent, c'est pour me révéler une vue aérienne à couper le souffle des toits illuminés d'Atlanta.

Je ne peux m'empêcher de m'extasier devant ce paysage nocturne hallucinant aux allures de carte postale...

Je traverse la terrasse, longeant quelques pièces d'un mobilier sans nul doute hors de prix, jusqu'au muret qui me protège du vide. Un vent chaud vient caresser mes tempes, tandis que mes yeux se posent en face de moi sur l'immense bâtiment de l'illustre Bank of America.

— Ici, aucun snob ne nous fera chier, lâche Nash d'une voix calme en venant se placer à côté de moi.

Nous sommes si proches l'un de l'autre que nos épaules se frôlent. Je me retiens de me presser contre lui...

Je sens la chaleur qu'irradie son corps puissant ; elle m'attire. M'excite... Et je frissonne.

— Tu as froid ? me demande-t-il, avant de caresser mon avant-bras du dos des doigts comme pour évaluer ma température corporelle. Tiens...

Il retire sa veste et la dépose délicatement sur mes épaules. Elle est chaude, lourde. Elle porte son odeur... celle de son eau de Cologne, de son savon peut-être. En tout cas, Armani ou je ne sais quel autre spécialiste a dû baptiser son produit « Délicieux », car j'en ai littéralement l'eau à la bouche.

— Ça va mieux ? me demande-t-il en passant un bras autour de moi, comme s'il voulait me réchauffer de toutes les manières possibles.

De fait, je n'ai pas à me plaindre : ça va beaucoup, beaucoup mieux ! Entre nous, même si je suais à grosses gouttes, je serais aux anges !

— Bien mieux, oui. Merci.

Nous restons sans rien dire si longtemps que le silence en vient presque à devenir embarrassant. Et c'est au moment où je commence à me creuser les méninges pour trouver quoi lui dire que Nash prend la parole.

Et m'avoue l'inavouable.

14

Nash

— Mon père est en prison. Pour meurtre.

Tu aurais pu le dire de façon plus abrupte ? Mais quel abruti…

J'ignore pourquoi j'ai tant envie de partager mes secrets les plus sombres avec Olivia. Peut-être que je tiens simplement à la rassurer, elle qui se sent isolée au sein d'un monde trop calibré où la réputation et les apparences font loi. Un monde dans lequel moi-même, je dois prendre garde à mes moindres mots, mes moindres faits et gestes. L'incarcération de mon père me semblait impossible à surmonter – comment poursuivre sa vie après une telle tragédie ? – avant que je ne trouve la force de surnager, puis de reprendre mon destin en main. Oui, j'y suis parvenu… Après des années et des années d'efforts surhumains et de lèche opportuniste, j'y suis parvenu. Et aujourd'hui plus que jamais, je me rapproche de mon but.

Après ce qui me semble avoir été une éternité de silence, je baisse les yeux vers Olivia. Elle me regarde, le menton levé et les lèvres entrouvertes, sous le choc de la révélation. Ses yeux verts, qui scintillent sous la lumière diffuse de la terrasse, sont rivés aux miens. Pour autant, ce que je remarque le plus dans son regard, ce n'est pas ce qui s'y trouve – étonnement, perplexité, curiosité, un peu d'apitoiement, peut-être –, mais ce qui ne s'y trouve pas : pas de jugement, pas de dédain, pas la moindre trace de frayeur. Rien de tout ce que j'ai pu lire par le passé dans les yeux de mes confidents lorsque je me suis retrouvé à devoir leur avouer cette histoire.

Et cela me donne plus envie que jamais de l'embrasser.

Olivia, pitié, arrête d'être aussi irrésistible!

—Tu… ne fuis pas la terrasse en hurlant? lui dis-je, incapable de dissimuler la pointe d'amertume qui perce dans ma voix.

Elle me surprend en m'adressant un sourire accompagné d'un regard dubitatif.

—Je pense qu'on a déjà clairement constaté que je n'appartenais pas à la même espèce que les gens avec qui tu as l'habitude de passer tes journées.

Je pars d'un rire sincère.

—Tu marques un point.

Elle se tourne vers moi, et la seule chose que je parviens à lire sur son visage désormais, c'est de l'intérêt. Rien de plus que de la curiosité. Je suis soulagé que son regard se soit départi de la pitié que j'avais cru y deviner un peu plus tôt. La pitié n'apparaît nulle part dans la longue liste des sentiments que j'aimerais inspirer à cette fille.

—Tu veux en parler?

Je hausse les épaules.

—Le temps m'a permis de me réconcilier avec cette histoire. J'ai presque l'impression d'avoir tourné la page.

—Ce ne doit être qu'une impression, alors, si tu ressens encore le besoin de l'évoquer.

Perspicace, en plus. Elle est aussi futée qu'elle est belle. Le pire, c'est qu'elle n'a probablement conscience d'aucune de ces qualités.

—Peut-être. Je ne sais pas… J'ignore pourquoi je t'ai parlé de ça.

Je me tourne vers les lumières scintillantes de la ville en contrebas. Je me trouve presque idiot, soudain, de lui avoir avoué ça.

—Mais, tu l'as fait. Et maintenant, il va falloir que tu m'en dises plus si tu ne veux pas que je te prenne pour un tortionnaire.

—Peut-être que j'en suis un.

Elle fronce les sourcils et me toise du regard.

—Nan… Je n'y crois pas une seconde. Et puis, de toute façon, il doit y avoir des lois contre le harcèlement moral, non? Tu ne vas pas me dire que tu es avocat le jour et criminel la nuit?

La logique de sa démonstration m'amuse, et je ris de bon cœur. Je ne peux m'empêcher de me demander comment elle réagirait si elle savait la vérité.

—Je ne serais pas le premier à feindre d'être un bon citoyen.

—Mais tu n'es pas le premier péquin venu. Non… Tu es le chevalier qui va me sauver de la misère.

Avec un sourcil perplexe, je répète :

—De la misère, carrément ?

Je me doute que mon sourire trahit l'imagerie mentale qui vient de déferler dans mon esprit, et Olivia me surprend de nouveau en jouant le jeu.

—Oui, de ma misère… Dis-moi que tu n'es pas le genre d'homme à laisser une femme sans défense souffrir sous tes yeux.

Elle a beau avoir l'air douce, timide et innocente, parfois, elle semble prête à s'engager dans des divertissements autrement plus risqués… et intimes. Je sais que je ne devrais pas penser à ce genre de jeux dangereux, ni même croire en la blancheur trompeuse d'Olivia Townsend… mais, c'est tout bonnement au-delà de mes forces !

Toutes sortes de fantasmes me viennent à l'esprit… J'imagine le plaisir que j'éprouverais à la voir en détresse… Je ne parle pas de la véritable détresse, juste de celle qui la ferait transpirer et gémir jusqu'à ce qu'elle me supplie de la pénétrer pour abréger ses souffrances.

Je n'arrive pas à focaliser mon attention sur autre chose que mon érection naissante, malgré ma certitude que je m'aventure sur un terrain glissant. Le simple fait de voir le visage d'Olivia, ses yeux scintillants et ses lèvres charnues, bâillonne en moi toute pensée raisonnée.

—Uniquement si c'est ce qui la fait vibrer…, dis-je en prenant entre mes doigts une longue mèche brune posée sur son épaule.

J'ai l'impression de caresser de la soie… Pareil pour sa peau que j'effleure du dos de ma main.

—Et toi, Olivia… Qu'est-ce qui te fait vibrer ?

Il me semble que sa poitrine marque un temps d'arrêt, surprise qu'elle est par le caractère inattendu de ma remarque. Peut-être que c'est elle qui va finir par mettre un terme à notre jeu dangereux... Moi, en tout cas, je n'en suis plus capable. Je le regretterai sûrement, mais là, tout de suite, je ne pense plus qu'à une chose : lui arracher cette robe rouge.

Elle hausse les sourcils. Je ne saurais dire si c'est parce qu'elle relève mon défi ou simplement parce que j'ai envie d'y croire. Mais voilà qu'elle passe sa langue sur sa lèvre inférieure et, le menton légèrement baissé, me regarde par-dessus ses cils délicatement courbés.

Elle a des airs de sainte-nitouche, mais je suis convaincu qu'elle ne le fait pas exprès. C'est sa façon d'être. Et c'est encore plus excitant.

— Tu veux dire que tu ne le sais pas ? J'aurais cru qu'un général cinq étoiles aurait le bras assez long pour avoir accès à ce genre d'informations.

— Disons que je préfère me charger moi-même des missions de reconnaissance.

— Qui consistent en quoi, au juste ?

Je sais qu'il vaudrait mieux que j'arrête tant qu'il en est encore temps.

Mais j'en suis incapable.

— À utiliser pleinement mes cinq sens pour obtenir un relevé précis du terrain.

— Un relevé du terrain ? répète-t-elle, ses joues révélant deux fossettes irrésistibles.

— C'est indispensable à la préparation de l'assaut.

— Relevé de terrain... Assaut... Tu peux m'en dire un peu plus ?

— Je commence avec le toucher...

J'effleure l'une de ses fossettes du bout des doigts, puis viens caresser délicatement sa lèvre inférieure.

— C'est l'un de mes atouts les plus précieux. La nature du terrain me permet d'évaluer l'agressivité avec laquelle je dois mener l'assaut… Certains nécessitent une approche plus délicate que d'autres…

—Je vois…, soupire-t-elle.

Son souffle chaud vient caresser mes doigts.

—Et ensuite? ajoute-t-elle, haletante.

—Reconnaissance olfactive, dis-je en glissant ma main dans ses cheveux, avant d'enfouir mon visage contre la peau subtilement parfumée de son cou. L'arôme m'aide à m'orienter dans la bonne direction. Il est tantôt sucré, tantôt légèrement musqué…

Je ponctue mon murmure en caressant de mes dents la chair sous son oreille. Elle soupire.

Je ne cesse de susurrer à son oreille.

—Ensuite vient l'ouïe. Souvent, le son le plus discret, même le plus timide des murmures, m'indique si je vais ou non bientôt toucher au but.

Je sens ses mains se poser sur mes avant-bras, et ses ongles s'enfoncer dans le tissu de ma chemise comme j'aimerais qu'ils labourent mon dos.

Son souffle se fait court.

—Et puis? soupire-t-elle.

Je me redresse et baisse les yeux vers elle. Ses paupières mi-closes et ses joues purpurines trahissent l'intensité de notre échange. Pas une seconde je doute qu'elle veuille comme moi repousser les limites de l'interdit.

—Le goût.

Son regard se pose sur ma bouche, puis elle relève les yeux vers moi.

—Qu'est-ce que tu goûtes, exactement?

—Tout. Jusque dans les recoins les plus secrets…

Si seulement j'avais la moindre chance de lui résister, elle s'évapore à l'instant même où Olivia se penche vers moi… Et avec cette chance, s'évapore la dernière once de délicatesse dont j'étais encore capable: le baiser qui s'annonçait tendre se change aussitôt en feu de forêt. Dès le premier contact, sa langue me consume tout entier.

Et c'en est fini de ma raison.

Mes mains se perdent dans ses cheveux, et ma bouche dévore la sienne. J'oublie sciemment où je suis, ma petite amie, son père pour lequel je travaille… Je ne pense plus qu'à cette envie irrépressible d'être en elle, de sentir son corps brûlant…

Mais pourquoi ? Pourquoi est-ce que je la désire à ce point ?

Je l'ignore et, quoi qu'il en soit, je n'arrive plus à penser à autre chose qu'à ses ongles qui s'enfoncent sans retenue au creux de mes reins.

Je gémis en la savourant, et suis récompensé par un ronronnement de plaisir. J'empoigne ses cheveux avec une retenue presque douloureuse, m'abandonnant peut-être plus que je ne le souhaitais, mais son baiser se fait plus sauvage. Elle se presse contre moi, toujours plus avide, comme si nous n'étions jamais assez proches. Alors, perdant tout contrôle, je la bloque contre le mur de la terrasse. Nos corps sont plaqués l'un contre l'autre au point que je sens ma verge prisonnière chercher avec avidité la chaleur de son ventre. La barrière de nos vêtements me pousse à interrompre notre baiser.

Je me redresse et l'observe : ses yeux sont insondables, ses lèvres gonflées. La raison martèle la porte de mon esprit, mais je l'ignore aussitôt qu'Olivia se penche lentement vers moi, se dresse sur la pointe des pieds et mordille ma lèvre inférieure.

—C'est trop bon…, murmuré-je en m'abandonnant de nouveau à sa bouche.

Olivia se livre à moi tout entière. Sans la moindre retenue.

Suspendu à ses lèvres, je me baisse, la soulève et la dépose sur l'une des chaises longues disposées sur la terrasse. Je l'y allonge, puis me redresse pour la contempler.

Ses genoux légèrement pliés relèvent suffisamment sa robe pour que j'aperçoive ses chevilles. Sans les quitter des yeux, je m'agenouille, dépose un baiser juste au-dessus de son pied et, tandis que je m'aventure plus haut, dénude sa jambe délicate.

Ma paume envieuse poursuit son ascension et caresse sa peau satinée. Ma langue la suit fidèlement et trace un chemin fiévreux jusqu'à son genou, puis, bien vite, sur l'intérieur de sa cuisse. Elle écarte ses jambes un peu plus.

L'invitation que j'attendais…

Mes dents effleurent sa peau, tandis que le bout de mes doigts vient goûter à la chaleur humide de ses dessous… Je l'entends soupirer et durcis encore rien qu'en imaginant les gémissements que je lui arracherai lorsqu'elle m'invitera en elle.

Soudain, elle se raidit, et je comprends que quelque chose ne va pas. Je lève la tête et lis dans son regard une détresse inattendue.

Très vite, elle a les larmes aux yeux, et je me sens mal à l'aise.

—Tout va bien ? Je t'ai fait mal, peut-être ?

Je n'ai pourtant pas l'impression de l'avoir brusquée…

Elle secoue la tête.

—Non, c'est juste que je… Ce n'est peut-être pas une bonne idée…

L'admettre a beau être une véritable torture, je sais qu'elle a raison. Marissa occupe une place trop importante dans mes plans pour que je foute tout en l'air maintenant. Qui plus est, Olivia est une fille bien qui ne mérite pas que je l'emporte dans le chaos de ma vie.

Je soupire et, dépité, pose mon front contre son genou…

15

OLIVIA

— Tu as raison, me murmure Nash.

Il relève lentement la tête.

—Tu as raison, répète-t-il plus fermement. Je te présente mes excuses.

Il semble soudain distant, ce qui rend plus dérangeante encore cette situation déjà inconfortable. Je m'assieds sur la chaise longue et saisis le bras de Nash avant qu'il ne puisse se lever et s'éloigner.

—Non, attends. C'est plutôt à moi de m'excuser. Je n'ai pas arrêté de flirter avec toi, alors que je savais que tu avais quelqu'un. Et pas n'importe qui. Nous sommes tous les deux responsables de ce qui s'est passé... Et si on se contentait d'oublier tout ça ? Qu'on ne laissait pas les choses s'envenimer ?

Il me regarde intensément plusieurs secondes avant de parler et, sitôt qu'il s'exprime, je me sens soulagée.

—Oui, répond-il en se relevant.

Il me tend une main, et j'y glisse mes doigts. Il les serre douce-ment et m'aide à me mettre debout.

Je baisse les yeux pour m'assurer que ma robe est correctement retombée sur mes jambes. C'est le cas et, quand je relève la tête, c'est pour me rendre compte que Nash ne me regarde plus dans les yeux... Non, son regard erre sur ma poitrine. Je baisse de nouveau la tête pour voir ce qui a attiré à ce point son attention, et me rends compte, à mon grand désarroi, que la sauvagerie de notre baiser a légèrement fait glisser le haut de ma robe, si bien que mes seins se sont quasiment fait la malle : mes tétons n'ont pas encore tenté la grande évasion, mais il y a tout de même du monde au balcon.

Nash me tient toujours la main, mais je me dégage délicatement pour rajuster mon décolleté. Lorsque son regard croise le mien, je ne peux m'empêcher de lui sourire.

— C'est ma méthode pour charmer les cobras. Ça fonctionne pas mal, j'ai l'impression…, lancé-je sur un ton taquin.

Il sourit à pleines dents, les yeux pétillants de malice.

— Si tu veux t'en assurer, je te montrerais avec plaisir l'effet que tu as fait à mon reptile…, réplique-t-il.

Mes joues s'empourprent aussitôt, et je sens une vague de chaleur se répandre dans mon ventre. Deux phrases, et nous voilà de nouveau engagés sur un chemin glissant…

Nous nous entre-regardons de longues secondes, puis Nash finit par rompre le silence.

— Je crois que je n'ai plus qu'à te présenter une nouvelle fois mes excuses… Je te rassure, ce n'est pas ma manière habituelle de faire avec les femmes. Promis.

Comme si de rien n'était, il prend ma main, puis me guide jusqu'à l'ascenseur.

— Non seulement je suis ravie de l'entendre, mais en plus, je te crois sur parole.

Et c'est vrai. Je le crois. Nash est quelqu'un de bien. Je le sens.

— Vraiment ? me demande-t-il.

À en croire son expression, il semble véritablement se soucier de ce que je pense de lui.

OK, je nage en plein délire…

— Bien sûr. Je vois tout à fait quel genre de type tu es.

— Ah bon ? Tu peux m'en dire un peu plus ? me demande-t-il en m'invitant à entrer dans la cabine.

— Intelligent, brillant, dynamique, doué d'un vrai sens de l'honneur.

Il part d'un grand rire.

—Dis donc! C'est flatteur, mais ça me donne l'impression de devoir m'équiper d'une épée et de livrer un duel à l'aube contre mon pire ennemi.

—Ce n'est pas tout à fait ce que j'avais en tête. Ce que je veux dire, c'est qu'au-delà de toutes tes qualités, je pense que tu es un type bien. J'en suis sûre, même.

—Et c'est une bonne chose à tes yeux? D'avoir des principes? D'être… un type bien? me demande-t-il, dubitatif.

Je lui souris.

—C'est même plus qu'une bonne chose.

Lorsqu'il me rend mon sourire, je ne peux m'empêcher de détourner les yeux. J'ai l'impression d'en avoir trop dit. Je n'aurais jamais dû me confier à ce point.

Quelle gourde…

—Eh bien, si c'est important pour toi… ça compte. Beaucoup.

Nous partons en silence vers le garage. Mon esprit se focalise tout entier sur l'émotion intense que j'éprouve à son contact, tandis que son pouce caresse le dos de ma main. Je sais que nous ne devrions pas nous donner la main ainsi, comme deux amants qui se promènent, mais je ne peux me résoudre à me détacher de lui. Le rêve arrivera trop tôt à son terme, et je veux en savourer jusqu'à la dernière seconde. Demain, la réalité reprendra ses droits… sous les traits de Marissa.

Sur le trajet du retour, Nash se contente de papoter de tout et de rien, et cela me convient très bien : ce genre de conversations ne réclame qu'une attention et une participation modestes. Ainsi, je peux me contenter d'être là, de jouir du moment… et de fantasmer.

Je n'ai aucun mal à imaginer ce à quoi ressemblerait un retour de soirée en compagnie de Nash. Une soirée en couple… Si nous étions ensemble. Se retrouver entre les bras d'un homme aussi brillant qui me fait vibrer d'un regard et m'enflamme d'une caresse. Nash est le petit ami idéal… Malheureusement, il appartient à un monde qui est à mille lieues du mien.

Ce même monde dans lequel évolue Marissa.

—Alors, comment se passe le boulot avec mon frère ?

Cash.

Rien que de penser à lui, l'excitation me gagne : son regard lorsqu'il s'était penché pour récupérer le quartier de citron entre mes lèvres avait quelque chose de carnassier. Je sais pertinemment que chaque seconde passée avec ce type serait placée sous le signe d'un plaisir indécent ; mais je sais aussi que le mauvais garçon finirait par me briser le cœur...

Comme tous les autres avant lui.

—J'en déduis à ton silence que ça ne s'est pas forcément déroulé comme tu l'espérais. Est-ce que je dois te présenter, en plus des miennes, des excuses au nom de mon frère ?

Je culpabilise de penser à Cash alors que je suis assise juste à côté de son frère jumeau qui, de fait, est aussi séduisant que lui. Pourtant, et malgré le baiser fiévreux échangé avec Nash, je ne peux m'empêcher de l'imaginer sans être assaillie par des images indécentes.

T'es vraiment tordue, Liv... Tordue et délurée...

—Olivia ?

Je réintègre sans ménagement cette réalité.

—Oh, non, non ! Tout s'est très bien passé. Excuse-moi, je pensais justement au boulot. Je bosse vendredi.

—Oh ? Le boulot te convient, alors ? Et Cash ? Il ne t'a pas mise mal à l'aise, j'espère ?

Il y a un truc étrange dans sa voix, lorsqu'il me pose la question...

—Pourquoi est-ce que tu me demandes ça ? Tu t'attendais à ce qu'il soit difficile avec moi ?

Il hausse les épaules.

—En quelque sorte...

—En quelque sorte ?

—Comment dire...

—Quoi donc ?

—Cash est du genre... Hmm... Comment tourner ça...

—Si quelqu'un d'aussi éloquent que toi en perd ses mots, j'ai peur de ce que tu cherches à me dire...

— Non, il n'est pas si terrible. C'est juste que je m'attendais à ce que tu lui plaises.

— Et j'en suis ravie. Grâce à ça, je vais économiser pas mal de temps et d'argent.

Nash me lance un regard exaspéré.

— Je ne parlais pas de tes compétences de serveuse, si tu vois ce que je veux dire.

— De quoi est-ce que tu parlais, dans ce cas ?

— Olivia… Tu es magnifique, intelligente et drôle. Je ne connais pas un homme qui serait capable de te dire « non », et mon frère ne fait pas exception à la règle. C'est juste qu'il se montre un peu plus… sauvage pour parvenir à ses fins. Cela m'aurait ennuyé qu'il te fasse fuir.

Je repense aux plaisanteries que Cash et moi avons échangées à propos du harcèlement sexuel. De fait, il aime flirter avec les limites, mais pas une seconde j'ai eu l'impression l'autre soir qu'il m'imposait quoi que ce soit, ni ne me faisait des avances déplacées. D'ailleurs, je prie pour qu'il ne sache jamais que, de mon point de vue, ces avances étaient même plus que bienvenues…

— Quoi qu'il en soit, tu n'as pas à t'inquiéter à propos de Cash : il m'a reçue avec beaucoup de correction, et je suis convaincue qu'il va poursuivre sur cette voie. Je bosse pour lui, ce n'est pas compatible avec le reste.

Nash me lance un regard dubitatif, mais je préfère ne pas réagir.

Notre conversation s'arrête lorsque nous arrivons devant la maison que je partage avec Marissa. Un soupir me soulève la poitrine : je sais que Nash n'entrera pas. Il n'entrera pas parce que je ne compte pas lui demander de le faire.

Et c'est bien mieux comme ça.

Même si ça craint un max.

Comme je m'y attendais, il ne coupe pas le moteur.

C'est mieux comme ça, c'est mieux comme ça…

— Merci, lui dis-je, croisant son regard insondable.

Ses yeux sombres sont comme deux onyx scintillant à la lueur des voyants du tableau de bord.

—J'ai vraiment passé un agréable moment.

Son rire trahit soudain son incrédulité.

—Je ne pense pas, non.

Je souris.

—J'ai vraiment passé, à quelques minutes près, un agréable moment. Merci de m'avoir tenu compagnie. Et j'espère sincèrement que...

Son éclat de rire me coupe dans mon élan.

—Pas un mot de plus ! Rien de ce qui s'est passé ce soir n'est ta faute. J'ai eu tort de m'attendre à autre chose de la part de vipères fadasses maquées à des huiles. Tu n'y es pour rien.

Je trouve amusant qu'il utilise pour les définir deux des mots que j'avais moi-même choisis pour définir les poupées Barbie. Les grands esprits se rencontrent...

—Quoi qu'il en soit, ta soirée aurait été bien différente si Marissa avait pu t'accompagner. Elle aurait su exactement quoi porter et...

La fin de ma phrase se fait traînante car, pour la première fois de la soirée, je me rends compte que Marissa a littéralement saboté ma prestation. Je ne doute pas un seul instant qu'elle savait exactement ce qui allait se passer si je me présentais à l'expo dans cette tenue.

—Et ? me demande Nash.

Je lève les yeux vers lui. Il mérite mieux que cette garce. Tellement mieux. Et j'aimerais tant être celle qui le rendrait heureux. Malheureusement, une fille comme moi dynamiterait sa carrière en moins d'une semaine...

—Oh, euh... Disons juste qu'elle est parfaitement assortie à ce genre de décor, au milieu de ce genre de personnes. Moi, je ne suis qu'une petite provinciale...

Nash se penche vers moi, pose une main sur l'une de mes joues, puis incline légèrement la tête, les yeux rivés sur moi.

—Ne dis pas ça. Rien ne doit te laisser croire que tu vaux moins qu'elle, Olivia… Je t'assure que tu ferais fausse route.

Il ne me quitte pas des yeux, comme s'il attendait que je prenne pleinement conscience de la justesse de ses mots ; comme s'il voulait que je remarque combien il est sincère. Mais je le sais déjà. Le souci, c'est que cela ne change rien à la situation. Cela ne change rien au fait qu'il soit le petit ami de Marissa.

Il n'est pas malhonnête, et moi non plus.

—Merci, Nash, c'est très gentil…

Je meurs d'envie qu'il m'embrasse de nouveau, qu'il me suive jusque dans ma chambre et qu'il termine ce qu'il a commencé, mais je sais que c'est impossible. Cela ne doit pas arriver. Je ne l'y encouragerai pas. Et il saura se tenir, lui aussi.

Mais s'il n'y parvient pas…

Je me force à parler pour ne pas me laisser aller à ce fantasme impossible. Il ne se passera rien entre nous. Un point c'est tout.

—Bonne nuit, Nash.

Il me décoche un sourire vaguement grimaçant, et je me demande à quoi il s'attendait.

—Bonne nuit, somptueuse Olivia…

M'éloigner ainsi de sa voiture sachant qu'il y a encore une chance pour qu'il se lance à ma poursuite est probablement l'une des épreuves les plus insurmontables que j'aie eu à traverser dans ma vie…

Ce n'est que le matin suivant que je me rappelle que Nash m'a avoué que son père était en prison pour meurtre. Quand mes hormones sont capables de me faire oublier un homicide, cela n'est pas forcément de bon augure…

16

CASH

JE N'AI JAMAIS EU DE MAL À SUPPORTER L'ABSENCE DES FILLES que j'ai connues. Je ne savais pas ce qu'était le sentiment de manque… jusqu'à aujourd'hui. Olivia est différente. Je la veux dans mon lit sans tarder, mais je ne sais pas ce qu'elle a derrière la tête. J'ai l'impression qu'avec elle, il va me falloir faire preuve de plus de douceur, d'attention… C'est un défi pour moi.

Et Dieu sait que j'ai du mal à résister à un défi !

Je l'observe, tandis qu'elle prépare une boisson sous le regard attentif de Taryn. Je pourrais demander à cette dernière de la ménager un peu, mais je n'en fais rien. Non seulement je pense que cela desservirait Olivia –en la poussant à revêtir sa tenue de combattante–, mais je pense aussi qu'elle préférerait gérer ça toute seule. Ce que j'admire, d'ailleurs. Et pas qu'un peu. Plus je la côtoie, plus je devine en elle quelqu'un de bien plus profond qu'une fille au sourire timide et au visage d'ange.

Bien sûr, je ne parle pas de ce corps que je meurs d'envie de posséder…

Ce qui arrivera tôt ou tard.

Et ce jour-là, je m'assurerai qu'elle profite de chaque seconde de nos ébats.

17

OLIVIA

J'AI L'IMPRESSION DE VOIR CASH PARTOUT. PARFOIS, IL PARLE À des clients, se pliant à son business de proprio de boîte de nuit; d'autres fois, assez souvent d'ailleurs, il me regarde. Cela me rend nerveuse. Rien à voir avec la peur d'être jugée par mon employeur: j'ai pleinement confiance en mon aptitude à préparer un bon cocktail, même avec un sergent-chef qui beugle à mes oreilles. En revanche, je me fie beaucoup moins à ma capacité à résister à l'invitation provocante que Cash ne prend même pas la peine de dissimuler.

Je lui plais. Et je ne parle pas de mes compétences de serveuse. Je pense même qu'il s'en fiche royalement… Chaque fois que mes yeux croisent les siens, j'ai l'impression qu'il me déshabille du regard. Et, bon sang, j'adore ça! Lorsqu'il me déshabille du regard, j'ai l'impression que ses yeux me touchent. Je sens presque leur caresse, comme des doigts sur ma peau, des lèvres sur ma bouche…

De fait, j'ai un faible pour les bad boys, mais Cash… Je ne sais pas. C'est encore autre chose. J'ai le sentiment qu'il est plus dangereux encore que les sales types auxquels j'ai succombé par le passé.

Je relève la tête, et croise une nouvelle fois son regard. Un clin d'œil plus tard, j'ai des papillons dans le ventre.

— Ce n'est pas le genre de margaritas qu'on sert ici, lâche Taryn d'un ton sec. Du jus d'orange? Sérieusement?

J'expire si bruyamment que j'ai presque l'impression de grogner. Je pourrais expliquer à cette garce que j'estime qu'une touche de jus d'orange sublime le goût de la tequila, mais je n'en fais rien. Son attitude commence à me gonfler.

—OK, je lâche en frappant le cul de la bouteille sur le comptoir plus fort que je ne le souhaitais. Dans ce cas, montre-moi comment l'*Hypnos Club* aime ses tequilas.

Je fais un pas en arrière et croise les bras.

Le regard de Taryn me semble aussi furieux que satisfait. Elle attendait que je craque, c'est évident. Le souci, c'est que si je craque pour de bon, elle risque de ne pas comprendre ce qui lui arrive.

—Alors, tu me montres? Y a des clients qui attendent, dis-je d'un ton le plus neutre possible tout en désignant d'un signe de tête le groupe massé de l'autre côté du comptoir.

Un éclair de rage zèbre ses yeux menthe glaciale, et ses lèvres écarlates se crispent. Elle est prête au combat. Et moi aussi.

—Tu ferais mieux de changer d'attitude, ma poule, sinon cette soirée à l'*Hypnos Club* risque d'être la dernière.

Des murmures admiratifs s'élèvent autour de nous… «Oooh…», «Aaah…», autant d'exclamations trahissant le plaisir des clients à l'idée d'assister à un combat de tigresses. Je fais mine de ne rien entendre et me concentre sur Taryn.

—Vraiment? Tu crois que tu as assez d'influence ici pour m'évincer sur commande? Tu n'es pas la première pétasse en manque d'attention que je rencontre, Taryn, et ce n'est pas parce que tu rêves de tout contrôler que les gens vont t'obéir au doigt et à l'œil.

Taryn rit jaune, mais elle ne prend même pas la peine de nier l'accusation. Elle sait que je l'ai bien cernée.

Il ne m'a pas fallu bien longtemps pour savoir à qui j'avais affaire avec elle, à savoir une fille pas si sûre d'elle qui n'a pas tout réglé avec papa. Après mon «body shot», l'autre soir, elle a fait des pieds et des mains pour attirer l'attention de tous les mâles en rut. Elle a passé un morceau enlevé de Jessie James et s'est mise à danser sur le bar, ses lèvres mimant les paroles de «Wanted» à l'attention de tous les hommes présents dans son champ de vision.

Et, bien sûr, ils ont adoré. Je veux dire, Taryn est un vrai canon – même avec ses dreads blondes –, et elle dégage un érotisme félin auquel aucun homme doté d'un pénis en état de fonctionnement ne pourrait résister.

Pour autant, je savais bien qu'elle ne s'était mise en scène pour personne d'autre que moi. Lorsqu'elle est descendue du bar, elle m'a lancé un regard hautain, l'air de dire : « T'es pas au niveau, poupée… ». Ce qu'elle n'a pas compris, c'est que je me fiche royalement d'attirer l'attention des clients. Je lui cède d'ailleurs bien volontiers ce privilège, si elle y tient autant.

Repenser à tout cela sous cet angle me gonfle de confiance, et je décide de lui donner ce qu'elle souhaite : l'amour de tous les mâles.

— Que dirais-tu d'un petit duel ? La perdante danse sur le comptoir.

Son hésitation me surprend, mais, quand je la vois lancer un bref regard sur sa droite, je comprends ce qui la perturbe : Cash discute avec un groupe de filles en chaleur.

Ce qui se passe, tout ce qui s'est passé depuis mon arrivée, me paraît désormais plus clair.

OK, compris ! La garce est raide dingue de Cash !

La première chose à laquelle je pense, c'est qu'il est difficile de lui jeter la pierre. Tout organisme contenant suffisamment d'œstrogènes est condamné à en pincer pour Cash. Puis, je me dis qu'ils n'ont probablement encore jamais couché ensemble. Même si cela ternirait un peu le blason de bad boy de Cash…

À moins que ce ne soit arrivé et qu'elle ne s'en soit pas encore remise… Là, son blason de bad boy en serait plutôt copieusement redoré…

À mon grand désarroi, une vague de jalousie me submerge.

— J'en suis, acquiesce-t-elle soudain.

— La meilleure margarita l'emporte. Et je paie pour les deux, dis-je, avant de me tourner vers nos spectateurs enthousiastes. Un juge volontaire ?

Sans surprise, ils lèvent tous la main comme un seul homme. Lorsque Cash s'avance vers le bar, le débat est clos.

— Je m'en charge, propose-t-il, en me lançant un regard de défi. Je pense que c'est légitime, vu mon statut ici, non ?

— Bien sûr.

J'ai le souffle court, comme chaque fois qu'il se trouve si proche de moi et qu'il me regarde. Je me tourne vers Taryn dont les yeux tout à l'heure chargés de haine trahissent désormais une authentique envie de meurtre. Tout à coup, je me dis que ce plan qui me semblait judicieux pourrait bien se retourner contre moi.

— Toujours OK, Taryn ?

— Plus que jamais, répond-elle, avant de se tourner vers Cash et de lui décocher un grand sourire. Je sais ce qu'il aime…

Les hommes se mettent à hurler à la lune et à taquiner Cash en lui assenant des tapes viriles sur l'épaule. Cash, lui, se contente de sourire à Taryn. Et cela m'agace : je suis incapable de savoir s'il s'est passé quelque chose entre eux ou s'il lui adresse juste le sourire type de l'employeur bienveillant.

Faites que s'il s'est un jour passé quelque chose entre eux, ce soit terminé…

En réalité, ça me rend dingue de me dire qu'il flirte avec moi comme il le fait, qu'il me mate, qu'il me chauffe, tout en couchant avec Taryn. Je ne devrais pas y accorder d'importance : c'est un play-boy, et je serais naïve d'attendre autre chose de lui.

Mais la vérité, c'est que je ne le supporte pas.

Et merde !

— Allez, les mecs, on les encourage un peu ! lance Cash.

Les acclamations enthousiastes ne se font pas attendre. Cash sourit aux spectateurs, se tourne vers moi, puis se penche légèrement au-dessus du bar. Il me regarde dans les yeux, son sourcil adopte sa posture « Je suis beaucoup trop sexy pour que tu puisses me résister », puis il murmure :

— Tu n'as qu'une cartouche pour me faire saliver…

Je déglutis et sens des fourmis engourdir mes bras.

Il sait y faire, ce salaud…

Je me réjouis que la salle soit pleine à craquer : sans ça, je n'aurais pas hésité à abandonner toute dignité en me débarrassant de mes vêtements, avant de me ruer sur le bar et de dévoiler mes atouts à Cash.

Cela étant, je renonce à toutes mes bonnes résolutions en le chauffant en retour.

— Crois-moi, je peux faire bien mieux que te mettre l'eau à la bouche…

Il décoche un sourire irrésistible.

— Ça, je n'en doute pas une seule seconde.

Détournant mon regard du maître des lieux, je me focalise sur la préparation de ma boisson. L'entreprise se révèle plus ardue que je m'y attendais. Je dois lutter pour ne pas me retourner vers Cash toutes les secondes.

Au moment où je plonge le rebord du verre dans le sel, j'ai un instant d'inattention et je lève les yeux vers lui : il unit sa voix à celle des autres loups et, lorsque c'est à son tour de siffler, il pince ses lèvres et bat le tempo sans retenue.

Je ne peux le quitter du regard. Alors, comme s'il ne m'avait pas déjà suffisamment déstabilisée, il s'arrête de siffler, puis me décoche un clin d'œil.

Je comprends à cet instant précis que je suis en mauvaise posture. En très mauvaise posture.

Taryn me bouscule et fait glisser un verre sur le bar devant Cash. Aussitôt, je recouvre mes esprits : je m'empresse de verser ma margarita dans le verre, y ajoute un quartier de citron et un autre d'orange, puis l'offre à mon tour à notre juge.

Il sirote d'abord la margarita de Taryn, puis la mienne, avant de goûter de nouveau les deux cocktails. Je me demande s'il va vraiment opter pour la meilleure boisson ou s'il va se contenter d'orienter son choix en fonction de la fille qu'il aimerait voir danser sur le bar.

Malheureusement, je me rends compte qu'aucun des deux scénarios ne me contenterait : s'il choisit ma margarita, je me demanderai si ce n'est pas simplement parce qu'il veut voir Taryn danser. Cela dit, peu m'importe ce qu'il aimerait voir Taryn faire pour lui, mais…

En fait, si, ça m'importe.

Merde…

S'il choisit sa margarita, non seulement on considérera qu'elle est meilleure que la mienne, mais, en plus, je vais devoir danser sur le bar, ce que je préférerais éviter autant que possible.

Il acquiesce alors et lève mon verre qu'il vide d'une traite.

— Et voici notre grande gagnante! lance-t-il en me désignant du doigt.

Je me sens soulagée et triomphante, mais aussi étrangement troublée. Plutôt que de le regarder dans les yeux, je débarrasse le verre de Cash dès qu'il le repose sur le comptoir. Je lève alors les yeux vers Taryn et la vois adresser un regard aguicheur à je ne sais qui. Cash probablement.

— Bonne nouvelle, les gars! hurle-t-elle d'une voix enjouée. Non seulement je vais continuer à préparer vos margaritas comme vous les aimez, mais en plus, vous allez profiter d'un putain de spectacle! Vous y gagnez sur toute la ligne!

Triomphante, elle lâche un cri de joie et se retourne pour lancer un morceau au rythme on ne peut plus suggestif dont elle saura sans nul doute faire bon usage. Dès que je la vois monter sur le comptoir, je m'éloigne et rejoins l'autre bout du bar pour servir les rares clients qui ne sont pas hypnotisés par sa prestation.

Je m'efforce de ne regarder ni Taryn, ni Cash – je n'ai pas la moindre envie de voir sa réaction–, mais, lorsque j'entends les acclamations redoubler, je ne peux m'empêcher de tourner la tête.

Taryn vient de se jeter du comptoir directement dans les bras de Cash. Elle enserre son cou de façon possessive, presque sauvage. Elle sourit comme un chat qui vient de dévorer un canari – ou qui s'apprête à le faire–, et Cash éclate de rire.

Au moment où je me retourne pour servir un verre à un client, je vois Taryn attirer à elle la tête de Cash et l'embrasser. Et je ne parle pas d'un petit *smack*: elle donne presque l'impression de vouloir engloutir la moitié de son visage… Et lui ne se donne pas vraiment la peine de résister.

Le liquide froid qui coule sur mes doigts me renvoie à ce que j'étais en train de faire. La Pilsner déborde et coule le long de mon poignet, jusque dans le plateau. Si je suis hors de moi d'avoir donné une occasion à Taryn et Cash de me mettre en rogne, je le suis plus encore d'être incapable de dissimuler le fait que cela m'affecte.

Alors que je nettoie le comptoir à grands coups de torchon agacés, je vois Cash se pencher par-dessus le zinc pour me parler.

—J'aurais besoin que tu restes deux, trois minutes après la fermeture: j'ai de la paperasse à te faire signer. Ça ne devrait pas prendre plus de temps que ça.

Je lève les yeux vers lui et croise son regard. Je n'ai qu'une envie: arracher ses globes oculaires, puis cracher dans ses orbites avant de le maudire d'être exactement le genre de types que j'avais compris qu'il était.

Un bad boy.

Un séducteur.

Un de ceux qui font pleurer les femmes.

Le problème, c'est que j'ai aussi une folle envie de l'embrasser et de le laisser me porter jusque dans le premier lit venu pour consommer enfin le désir intenable qui me consume depuis le soir de notre première rencontre, lorsque je l'ai à moitié déshabillé.

Merde et merde!

Il se redresse et me sourit.

—Super, ta margarita, au fait…

Il lance alors deux tapes sur le comptoir –comme s'il saluait un vieil ami–, puis s'éloigne jusqu'à la porte mystérieuse située au fond de la pièce.

À partir de ce moment-là, ma soirée se change en calvaire.

Moi qui pensais que la victoire de Taryn la rendrait moins amère, je suis étonnée de constater qu'elle n'en devient que plus hostile à mon égard. Malheureusement pour elle, mon humeur est au plus bas et a étouffé ce qui me restait de patience et de tolérance. Aussi, jusqu'à la fin de la soirée, chaque fois qu'elle me cherche, elle me trouve de belles manières.

Si je redoute plus que tout de devoir parler à Cash ce soir, je me retrouve tout de même plus que satisfaite que mon service se termine. En effet, après les remarques désobligeantes à peine camouflées, Taryn et moi en étions passées au rythme supérieur. Tout a commencé lorsque la blonde m'a volontairement donné un coup d'épaule en passant à côté de moi, provocation à laquelle j'ai répondu en la percutant alors qu'elle transportait plusieurs shooters. À partir de là, les choses se sont envenimées, et elle en est carrément venue à renverser un verre pour asperger mes jambes de Baileys. Le nettoyage des conséquences de l'attentat – sur moi et à mes pieds – m'a fait perdre un temps considérable. Absorbée dans cette tâche, je songeais que les étapes suivantes ne pouvaient être que le tirage de cheveux suivi de près par une empoignade sans pitié. Or, j'ai aussitôt douté qu'une telle attitude ait pu être acceptée sans réprimande dans un établissement ne disposant pas de piscine de gelée.

Et cela m'a suffi pour me convaincre de retourner à mon poste. Quoi qu'il en soit, maintenant que mon service est terminé, je meurs d'envie de rentrer chez moi.

Tandis que je boucle ma partie du bar, je me réjouis d'avoir encore en tête les conseils de Marco. Au pire, ce dont je ne me souviens pas, je l'improvise après un regard furtif vers Taryn qui se prête au même exercice à l'autre bout du comptoir. La blonde est simplement plus rapide que moi. Forcément…

À peine a-t-elle terminé son ménage qu'elle contourne le bar et se rue vers la porte par laquelle avait disparu Cash plus tôt dans la soirée. Elle ne prend même pas la peine de jeter un dernier regard dans ma direction, et encore moins de m'adresser le moindre mot. D'ailleurs, autant le dire, je m'en fiche éperdument : ce n'est pas son attitude qui me met en rogne. Ce qui me rend dingue, c'est d'avoir une idée assez claire de qui va se taper qui, ce soir…

C'est d'ailleurs pour cette raison que je prends tout mon temps pour finir de nettoyer mon espace : je préfère mourir que de les interrompre en pleine éclate. Pour tout dire, je rêve même que Cash oublie cette histoire de paperasse et qu'il me laisse rentrer chez moi.

C'est au moment où je me fustige de m'être laissée hypnotiser par un type comme lui que Taryn sort de la pièce. Je lève la tête. Au premier coup d'œil, elle me semble… contrariée, mais, dès qu'elle voit que je la regarde, elle me sourit à pleines dents, contourne le comptoir pour récupérer son sac à main, puis quitte le bar tout enjouée.

Si je le pouvais, je cisèlerais jusqu'au dernier centimètre carré de sa peau avec une feuille de papier avant de la rouler dans un tas de sel.

Je souris à cette seule pensée, quand Cash sort de l'arrière-salle. Rien dans son attitude ne le trahit. J'ai beau ne pas le voir rajuster ses vêtements, je sais pertinemment ce qui vient de se passer. Et ça me rend furieuse.

— Tu as terminé ? me demande-t-il, décontracté.

Je ne peux réprimer un soupir dédaigneux.

— Et toi ?

Je me giflerais bien d'avoir manifesté si ouvertement mon exaspération, mais c'est sorti tout seul…

Cash fronce brièvement les sourcils, mais ne se formalise pas plus que cela.

— Oui… Si tu es prête, allons-y. Tu dois mourir d'envie de rentrer chez toi.

Mais ça, ça te semblait un peu moins flagrant il y a quelques minutes, non ? Ce n'est pas plutôt toi qui as hâte de te retrouver dans ton lit ? Sais-tu seulement ce qu'est un lit ?

Je serre les dents, me débarrasse de mon torchon, puis récupère mon sac à main sous le bar. Je prends mon temps. Hors de question que je me dépêche simplement parce que monsieur est enfin disponible. Je le paierai demain quand je lutterai pour sortir du lit, mais pour l'heure, le passif-agressif, c'est bien la seule cartouche dont je dispose.

Il me guide jusqu'à la porte savamment dissimulée dans le mur du fond, derrière le bar. Comme je m'y attendais, il s'agit d'un bureau ; d'un bureau étonnamment bien décoré... Comme si le fait qu'il se trouve derrière un bar ne le rendait pas déjà singulier en soi !

Les couleurs sont à la fois apaisantes et masculines, dans les tons crème et taupe. Les coussins et les lampes en bout de canapé rehaussent le tout de quelques touches de noir, et renvoient harmonieusement au bureau et à ses ornementations raffinées.

Au fond de la pièce, j'aperçois une porte entrouverte... Celle d'une chambre, visiblement. Spacieuse et plutôt élégante, d'après ce que j'en vois.

Tout à coup, je suis prise de palpitations à l'idée que Taryn et lui aient pu se trouver ensemble derrière cette porte... dans un vrai lit.

J'en ai presque la nausée.

Cash m'invite d'un geste à m'installer sur une chaise en velours noire et brune, tandis qu'il s'assied dans le fauteuil de cuir noir placé derrière le bureau. Il tapote sur le clavier de son ordinateur et imprime quelques formulaires qu'il fait glisser vers moi. Je m'empare d'une arme dans le range-stylos sur ma gauche.

Sans mot dire, je remplis la paperasse, tandis qu'il se charge d'un formulaire spécifique, probablement réservé à l'employeur. Lorsque j'en ai terminé, qu'il ne me reste plus rien à signer, je pose mon stylo et attends. Quelques secondes plus tard, il lève les yeux vers moi, puis me sourit.

— Alors, le boulot te plaît ? Abstraction faite de Taryn, j'entends.

Je lui adresse un sourire crispé.

— Oui, merci.

Une fois encore, il plisse légèrement les sourcils.

— Tu as des remarques ? Quelque chose dont tu aimerais parler ou que je pourrais faire pour faciliter ton intégration ?

Tu pourrais commencer par te tenir à distance, par exemple. Qu'est-ce que tu en dis ?

Je me mordille la langue pour réprimer un sourire moqueur, et fais « non » de la tête. Il acquiesce et m'observe attentivement.

—Très bien, alors… Dans ce cas, je ne vais pas te retenir loin de chez toi plus longtemps.

Je lui adresse un hochement de tête poli, puis m'éclipse en tâchant tout de même de ne pas faire montre de trop d'empressement. Sitôt la porte passée, alors que je me dirige vers le parking baigné de lumière, je ne résiste pas à l'envie d'extérioriser ma frustration. Rien de bien sonore… Quelque chose de l'ordre du grognement exaspéré.

J'avance à pas hargneux jusqu'à ma voiture, puis jette mon sac à main sur le capot pour y chercher mes clés. C'est à ce moment que j'entends des pas derrière moi. Je me retourne, paniquée, et aperçois Cash qui vient se placer à côté de moi.

—Tout va bien ?

Ses sourcils sont encore froncés, et ses yeux grands ouverts. De toute évidence, il se pose des questions. Il m'a probablement entendue grogner ; je n'avais pas vu qu'il me suivait…

Parfait !

—Ça va, merci. Tu peux rentrer. J'allais filer.

—J'ai oublié de te laisser une copie de la décharge de responsabilité, m'explique-t-il en me tendant une feuille de papier pliée.

Je lui arrache presque le papier des mains, puis le fourre dans mon sac.

—Merci. Bonne nuit, dis-je d'un ton dédaigneux, avant de partir à la recherche de mes clés.

Cash me saisit par les épaules et me fait pivoter.

—C'est quoi, le problème ?

Et là, je craque…

Tout en me dégageant de son emprise, je lance d'un ton ferme :

—Vire tes sales pattes !

Ma réaction a l'air de l'affecter… et cela me rend plus furieuse encore.

—Si tu veux tâter de la marchandise, tu n'as qu'à t'adresser à Taryn.

—Pardon ?

Il a l'air sincèrement surpris. Il reste interdit quelques secondes, puis lève les yeux au ciel. Je vois rouge.

—Tout ça parce qu'elle m'a embrassé?

Je serre les poings aussi fort que possible pour éviter de le gifler.

—Non, ce n'est pas parce qu'elle t'a embrassé: c'est entre autres choses parce qu'elle t'a embrassé! Mais c'est surtout en raison des embrassades à tout bout de champ, des «body shots», des parties de jambes en l'air tardives dans ton bureau et de tout un tas d'autres conneries qui, à mon goût, sont de trop à l'*Hypnos Club*!

J'ai pleinement conscience d'être en train de hurler au milieu du parking. Qui plus est, j'ai fait un pas en avant et me retrouve désormais juste devant le torse de Cash contre lequel j'ai plaqué un index rageur. Je baisse les yeux vers mon doigt tendu comme si je n'avais pas la moindre idée de ce qu'il faisait ici. D'ailleurs, je ne suis pas certaine de savoir par quel fâcheux concours de circonstances il s'est retrouvé là.

Je lève la tête vers Cash et le trouve, lui aussi, absorbé dans la contemplation de mon index. Alors, d'un geste lent, il passe ses longs doigts autour de ma main, puis ramène le bras vers lui d'un geste vif qui me fait presque trébucher contre lui.

—Alors, c'est ça, le truc? Tu crois que je couche avec Taryn?

—Non: je *sais* que tu couches avec Taryn. Et ce n'est à mon avis un secret pour personne.

—Qu'est-ce qui te fait dire ça?

Je ne m'attendais pas à ce qu'il garde son calme. À vrai dire, je trouve ça très déconcertant.

—Au-delà du fait qu'elle soit canon? Eh bien, elle…

—Moins que toi, objecte-t-il d'une voix douce.

J'ai des frissons partout, mais je poursuis.

—Et le fait qu'elle te chauffe comme une délurée?

—J'aurais préféré que ce soit toi qui me chauffes comme une délurée, annonce-t-il.

Ses yeux ne quittent pas mes lèvres. J'ai presque l'impression qu'ils les caressent…

—Arrête ça tout de suite. Ne fais pas comme s'il ne se passait rien entre vous.

—C'est la stricte vérité. On est sortis ensemble, Taryn et moi, mais c'était avant qu'elle commence à bosser pour moi. Même si je n'ai pas beaucoup de règles, je ne déroge pas à celle qui m'oblige à rester à distance respectable de mes salariées. Or, Taryn travaille désormais pour moi. Fin du chapitre. Il n'y a rien de plus entre nous.

—Ça ne t'a pas empêché de l'embrasser. Je vous ai vus.

—Non, ce que tu as vu, c'est Taryn qui m'embrassait, et moi qui faisais mon possible pour ne pas laisser éclater le scandale devant les clients.

—Ah bon? Tu n'avais pourtant pas l'air de trouver ça désagréable…

—Tout du long, je m'imaginais que c'était toi qui m'embrassais.

Il penche son visage vers moi.

J'entends le sang battre dans mes tempes. Puis je lui rappelle d'une voix plus calme:

—Je croyais que tu gardais tes distances avec tes salariées.

—Pour toi, je peux faire une exception.

Son visage se rapproche de plus en plus. Lentement… Centimètre par centimètre.

—Je croyais que c'était une des rares règles auxquelles tu te conformais.

—Tu me pousses au crime, alors…, murmure-t-il.

—Je n'y suis pour rien…, répliqué-je, haletante.

—Très bien. Dans ce cas, tu es virée…, réplique-t-il avant de poser ses lèvres sur les miennes.

Sa bouche est chaude et délicate… Au début, en tout cas. J'ai beau me hurler que je dois résister, lorsque je sens sa langue caresser mes lèvres, c'en est fini de ma raison. Et je réponds avidement à son baiser.

Il n'en faut pas plus pour que je succombe.

Cash a le goût d'un whisky arrivé à pleine maturation: riche et savoureux. Sa langue danse sensuellement avec la mienne, l'enveloppe, la provoque, tandis qu'il tire un peu plus sur ma main pour me rapprocher encore de lui. En réaction, je fais la seule chose dont je sois capable à cet instant : je me laisse aller.

Les doigts de son autre main se perdent dans mes cheveux, puis penchent ma tête sur le côté… Son baiser se fait plus sauvage, plus vorace, comme s'il ne voulait faire qu'une bouchée de moi…

Qu'il le fasse… Ce n'est pas moi qui l'en empêcherais : j'en brûle d'envie.

Il lâche ma main, et je sens sa paume se poser au creux de mes reins… Soudain, il écarte les doigts, les laisse glisser un peu plus bas, puis m'attire sauvagement contre lui.

Son érection est dure et révèle un membre aux proportions peu communes. Je le sens contre mon ventre. Une vague de chaleur m'envahit, réchauffe l'intérieur de mes cuisses. Je me consume de désir depuis trop longtemps pour y résister… De plus, je suis convaincue que Cash n'offre rien d'autre que des orgasmes cataclysmiques et que les spasmes durent plusieurs heures après l'assaut.

Des orgasmes qui me manqueront à coup sûr lorsqu'il se sera lassé de moi…

La réalité de ce que je suis en train de faire me gifle en plein visage, et je fuis sa bouche. Mes mains dans ses cheveux et mon corps plaqué contre le sien, je meurs d'envie de lui faire l'amour, mais je le fuis tout de même.

— Un problème ? me demande-t-il, étonné, le regard brûlant de passion.

— Ce n'est pas une bonne idée.

— Je plaisantais quand je disais que tu étais virée…

— Ce n'est pas le problème.

— Alors, c'est quoi, le problème ?

Il fait un pas en arrière pour me laisser recouvrer mes esprits, mais s'empare tout de même de mes mains pour s'assurer que je ne filerai pas trop loin de lui. J'ignore pourquoi je me laisse faire. Sûrement parce que je n'ai pas la moindre envie que cela cesse. Tout ce que je sais, c'est que ça ne doit pas aller plus loin.

—Cash… Toute ma vie, en matière de mecs, j'ai fait les mauvais choix. Le mauvais garçon, le play-boy, le rebelle mystérieux… Je parie que tu n'as même pas terminé ton collège!

Il ne me contredit pas, ne s'offusque même pas.

—Tu vois? Je tombe toujours sous le charme des bad boys. Les mecs comme toi, Cash! Je ne vais pas te faire l'affront de prétendre que tu ne me plais pas! Ce serait mentir. Le truc, c'est que tu es précisément le genre de mec que je dois éviter… J'en ai assez d'avoir le cœur brisé. Je ne réussirai jamais à dompter les fauves de ton espèce…

Il m'observe attentivement, hoche doucement la tête.

—Je comprends. Je t'assure… Mais ça ne change rien au fait que tu as envie de moi, et vice versa. Pourquoi vouloir chercher plus loin que ça?

Je reste bouche bée.

—Tu plaisantes?

—Non.

—Tu es vraiment en train de me proposer de coucher avec toi sans qu'on s'engage pour autant?

—Oh, mais je compte bien m'engager…, déclare-t-il, un sourire malicieux aux lèvres. Je m'engage à te faire jouir comme tu l'entends. En prime, je te garantis que lorsqu'on en aura terminé, on n'aura de comptes à rendre à personne.

—Il est justement là, le problème: qui décidera de mettre un point final à l'aventure? Toi?

—Ou toi, si c'est ce que tu veux. Ou tous les deux, d'un commun accord. On pourra tourner la page quand tu en auras assez, ou quand tu auras l'impression qu'on dérape vers quelque chose qui ne te convient plus.

Je sais que je devrais me sentir offensée par sa proposition, mais la vérité, c'est que je suis intriguée.

—Mais c'est…

—C'est exactement ce dans quoi s'engagent les gens au quotidien, sans les mensonges et les espoirs déçus. Voilà ce que c'est. En résumé: c'est plus honnête et plus sage.

— Une honnête et sage séance de jambes en l'air, c'est ce que tu me proposes ?

Mon regard est perplexe, je le sens. Comment pourrait-il en être autrement ?

— Oui. Mais elle sera également torride, excitante et résolument jouissive…, me répond-il d'une voix soudain plus grave et lente.

Il s'avance d'un pas vers moi.

— Je te promets que tu ne le regretteras pas. Je te promets de te faire goûter à des plaisirs dont tu ne soupçonnes même pas l'existence. Je ferai de chacune de tes nuits la plus belle d'entre toutes, jusqu'à ce que tu me demandes d'arrêter. Alors, je disparaîtrai. Ni remords, ni regrets : rien que de doux, très doux souvenirs…

Tout en ronronnant à mon oreille, il caresse ses cuisses de nos mains jointes…

Je sais que je devrais le gifler, lui rire au nez ou faire mine d'être profondément insultée – ce que je devrais être, soit dit en passant –, pourtant, je ne fais rien de tout cela. Bien au contraire : je prends en considération sa proposition.

Cash est assez futé pour savoir quand pourchasser sa proie et quand lui laisser un peu de répit. Et c'est exactement ce qu'il fait.

— Réfléchis-y. On pourra en reparler ce week-end. En attendant…

Il se penche pour murmurer à mon oreille.

— En attendant, essaie d'imaginer ce que tu éprouverais en sentant ma langue en toi.

Il mordille le lobe de mon oreille, et je ressens le pincement jusque dans le creux de mon ventre.

— Et moi, j'essaierai de deviner quel goût tu as…

Alors – *le salaud!* –, il se retourne et s'éloigne, m'abandonnant à mon excitation fiévreuse au beau milieu du parking.

18

NASH

J'AI FAIT MON POSSIBLE POUR ÉVITER MARISSA, CES DERNIERS temps. Je ne voulais pas tomber sur Olivia. Non seulement elle pourrait totalement saboter mes plans, mais, en plus, elle mérite que je lui épargne mes emmerdes. Mon aveu à propos de mon père n'a pas eu l'air de la troubler plus que ça, mais cette histoire n'est que la partie émergée de l'iceberg. Bon, peut-être un peu plus que ça… mais ça n'en demeure pas moins qu'une petite partie du vaste bordel qu'est ma vie.

Mais voilà, comme toujours, Marissa a commencé à bouder, à me réclamer, alors me voici qui essaie de garder mon sang-froid devant un café. Je regarde ma montre et prie pour qu'Olivia ne se pointe pas. Marissa m'avait dit qu'elle était en cours assez tôt les lundis et vendredis. Il faut que je file avant son réveil : si je la vois, je risque d'avoir du mal à lui résister. Et au point où j'en suis, je crains que les conséquences de mes actes ne pèsent même plus dans la balance.

— Si ce n'était pas important, il ne me demanderait pas d'aller là-bas, me dit Marissa.

Je suppose qu'elle parle de quelque chose que je ferais mieux d'écouter au lieu de penser à sa cousine.

— D'aller où, excuse-moi ?

Sa bouche en cul-de-poule retient de justesse une salve de mots désagréables, mais elle parvient – à peu près – à se contrôler.

—C'est quoi, le problème, au juste? Si je t'ai demandé de venir, c'était pour te voir un peu avant de partir, pas pour te parler pendant que tu dévisages ton café.

Je soupire.

—Excuse-moi, bébé. C'est l'affaire que Carl m'a confiée, elle m'obsède un peu, en ce moment.

Je pose mon mug et prends ses mains. Ses mains glaciales.

Je suis sûr que celles d'Olivia sont chaudes…

—Je t'en prie. Je suis tout à toi…, lui dis-je en souriant.

—Papa veut que j'aille au Grand Cayman avec deux cadres de la boîte pour revoir les comptes. Avec un peu de chance, il compte m'intégrer définitivement au projet.

Je comprends son enthousiasme. Je l'envie même. Avec trois ans de plus que moi, Marissa a son diplôme en poche et exerce déjà, alors que j'ai encore plusieurs mois de stage à tirer.

—C'est génial! Je suis fier de toi! Tu vas me manquer, mais… Quand est-ce que tu pars?

—Demain.

Elle a toujours sa moue boudeuse.

—Et tu seras absente combien de temps?

—Deux semaines au moins. Peut-être davantage…

—Dans ce cas, on aura deux bonnes raisons de célébrer ton retour: tu m'auras bien trop manqué et tu reviendras avec une bonne nouvelle. Je n'en doute pas une seconde.

Je l'attire vers moi et elle se laisse tomber sur mes genoux. Elle se jette à mon cou et m'embrasse. Je sais qu'il me suffirait de la soulever et de la porter dans la chambre pour profiter d'une petite baise rapide, mais je n'en fais rien. Je ne suis pas non plus un monstre d'irrespect et d'hypocrisie. Je ne peux nier l'évidence: Marissa a beau être sur mes genoux à m'embrasser et à se dandiner, je ne parviens à penser à rien d'autre qu'aux yeux verts scintillants, à la chevelure noire et au petit corps pulpeux de la fille endormie à quelques pas de là. Et je m'en veux terriblement.

Marissa se redresse et fronce les sourcils.

134

—Je te sens un peu ailleurs, non ?

—Tout va très bien. Promis. Je dois filer. J'ai déjà une heure de retard sur ma paperasse.

Elle sourit.

—Tu veux dire que tu as séché le boulot pour passer du temps avec moi ?

—Exactement.

Elle me décoche un regard plein de sous-entendus, plaque sa poitrine contre mon torse et se lance dans un va-et-vient suggestif. Pris au piège, je n'ai pas d'autre choix que de caresser ses seins menus et de pincer ses tétons raidis. Ses paupières mi-closes ne laissent aucun doute sur la suite des événements.

C'est à cet instant que j'entends distinctement quelqu'un se racler la gorge derrière moi…

Marissa et moi levons la tête pour découvrir Olivia qui, dans l'encadrement de la porte, semble aussi mal réveillée qu'horrifiée.

—On peut t'aider ? lance Marissa d'un ton sec. Prends ton café et file. On est légèrement occupés, là.

Elle se tourne ensuite vers moi pour reprendre là où nous nous étions arrêtés, mais je l'arrête en plein élan.

—Il faut vraiment que j'y aille.

Sans lui laisser l'occasion de protester, je la fais glisser sur le côté et me lève. Du coin de l'œil, je remarque qu'Olivia m'observe, et j'essaie de ne pas croiser son regard… Ce qui ne m'empêche pas de sentir les dagues qu'elle m'envoie en plein cœur et l'érection prodigieuse qu'elle provoque dans mon caleçon. Il ne fait aucun doute qu'elle est prête à cracher son fiel un peu partout dans la cuisine. Ce qu'elle ignore, c'est que ce que je viens de faire –ou du moins ce qui a failli arriver– me pousse à me détester dix fois plus qu'elle ne pourra jamais me haïr.

—Attends ! Je me demandais si tu pouvais récupérer ma voiture, lundi. Je te laisse mes clés.

—Très bien, dis-je en hâte, prenant sa main et l'entraînant hors de la cuisine.

Si Olivia a cherché à me faire culpabiliser : mission accomplie !

— Je t'appelle tout à l'heure, dis-je en déposant un baiser sur ses lèvres. On dîne ensemble, ce soir ?

Je suis prêt à proposer n'importe quoi pour sortir de cette maison le plus rapidement possible.

— Je ne peux pas, ce soir ! Je vais dormir chez ma mère, et papa m'accompagne à l'aéroport demain matin. Attends, je vais te chercher mes clés. J'appellerai la limousine plus tard.

Elle se rue en dehors de la pièce, et je reste planté près de la porte, priant pour qu'Olivia ne fasse pas de nouvelle apparition. Mais elle revient.

Forcément.

Elle s'arrête dans l'encadrement de la porte. Je sais qu'il n'existe rien de moins avisé, mais je me retourne pour la regarder. Dans ses yeux brille un mélange de gêne, de déception et d'humiliation, c'est certain, mais j'y devine aussi l'étincelle de ce sentiment indéterminé qui nous magnétise. Ni elle ni moi ne pouvons nier que nous sommes attirés l'un par l'autre. Très, très attirés l'un par l'autre.

J'entends la voix de Marissa. Elle est au téléphone.

J'avance vers Olivia.

Je ne sais pas vraiment quoi lui dire, alors je reste là sans prononcer un mot, les yeux baissés vers elle. Il n'y a pas à dire, elle est d'une beauté à couper le souffle. Même au saut du lit.

Avant même de me rendre compte de ce que je suis en train de faire, j'effleure sa joue délicate du bout des doigts. Elle ferme aussitôt les paupières…

Je meurs d'envie de les embrasser.

— Désolée, lance Marissa en redescendant dans l'entrée.

Je recule, repars vers la porte et m'arrête là où ma petite amie m'avait laissé. Je lance un dernier regard à Olivia par-dessus mon épaule. Sur son visage s'expriment trop d'émotions contradictoires pour que je puisse aisément les identifier.

À l'exception, peut-être, de celle que nous ressentons tous les deux.

19

OLIVIA

J'IGNORE SI C'EST LE SYNDROME PRÉMENSTRUEL OU LE STRESS DÛ aux derniers événements, mais soudain, ma vie me donne l'impression de n'être plus qu'une succession d'échecs. Un véritable naufrage.

Or, ce naufrage, je le dois essentiellement à deux hommes, qui, pour des raisons totalement différentes, me troublent et m'obsèdent à l'extrême. Deux hommes que je désire. Deux hommes que je ne peux pas avoir.

J'éprouve pour Cash un irrépressible désir physique, même si sa séduction mentale ne fait qu'ajouter à sa dangerosité. Je désire Nash tout autant, mais de façon très différente. Je ne dirais pas qu'il ne m'excite pas au point de me causer des insomnies, ce serait mentir. Non, ce que je veux dire, c'est qu'il est exactement le genre d'homme que j'aimerais avoir à mes côtés dans la vie ; celui dont j'ai besoin.

Je n'ai rien retenu des trois cours auxquels j'ai assisté aujourd'hui. Heureusement pour moi, c'était surtout de la parlote sans intérêt capital : stats, socio et mécanique corporelle… l'équivalent, en somme, de la gym au lycée.

Lorsque j'arrive à la maison, je suis épuisée ; plus d'un point de vue émotionnel que physique, d'ailleurs, mais, en définitive, le résultat est le même. Baignée par la quiétude de la maison vide et sachant qu'elle serait à moi seule pendant au moins deux semaines – information que j'avais obtenue malencontreusement certes, mais que je n'aurais jamais eue si j'avais attendu que Marissa m'en avertisse –, je décide de m'allonger sur le canapé pour faire une sieste.

Lorsque je me réveille à 16 h 30, force est de constater que ce petit somme n'a pas eu le moindre effet, si ce n'est me zombifier totalement. Comme je n'arrive pas à chasser le blues qui me gâche la journée, je finis par appeler Shawna. Malheureusement, je tombe sur son répondeur qui annonce qu'elle est avec sa mère, en train de choisir des fleurs pour son mariage.

Ma seule autre amie proche est Ginger, la barmaid avec laquelle j'ai bossé des années au *Tad*. Dieu merci, elle décroche.

Après plusieurs minutes de bavardage, fidèle à elle-même, Ginger abandonne toute diplomatie.

— Bon, allez, crache le morceau : qu'est-ce qui ne va pas ?

— Pardon ? Rien… rien du tout.

— Tu ne sais pas mentir, et je te déteste d'avoir ne serait-ce qu'envisagé de m'embobiner.

Prise sur le fait, je ris bêtement.

— Non, tu ne me détestes pas.

Elle marque une seconde de pause.

— Bon, OK, je ne te déteste pas. Par contre, je ne vois qu'une manière de te faire pardonner : me dire ce qui te démange la fouffe.

Ginger a toujours été poète à sa manière.

Je soupire.

— Je crois que la maison me manque… Mes amis aussi. Peut-être. Je… je ne sais pas trop. J'ai juste l'impression que ma vie est compliquée en ce moment.

— Oh oh ! Ça sent la crise de queue, ça !

— Mais non, Ginger ! Il n'est pas question de queue… Pourquoi est-ce que tu ramènes tout au sexe ?

— Peut-être parce que tout se résume à une histoire de cul ?

Je pouffe.

— N'importe quoi.

— OK, donc ça n'a rien à voir avec un mec ?

Je me tais quelques secondes.

C'est trop.

— Ah! Je le savais! Crise de queue! Crise de queue!

— Arrête ça! Disons juste qu'il se trouve que la cause d'un de mes problèmes en a une, OK? Enfin… Plutôt deux, d'ailleurs…

— J'y crois pas! Tu sors avec un type qui a deux queues?

— Ginger! Je voulais parler de deux types, pas de deux pénis!

— Oh…, réagit-elle, manifestement déçue. Dommage, ça aurait été franchement chouette, ça.

— Je ne vois pas en quoi ça aurait été chouette.

— Ben, deux queues, deux trous… Je dis ça, je dis rien, moi!

— Tu as un vrai souci, tu le sais, ça?

— J'en suis tout à fait consciente, merci.

Je glousse de plus belle.

— Au moins, tu n'as pas peur de l'admettre.

— Ce serait renier qui je suis, et je suis trop vieille pour ça, ma petite! Porter un masque, c'est trop crevant. C'est comme simuler. Ce que je dis, c'est que si tu n'as pas de paire d'as, mieux vaut rentrer illico à la maison! Il ne me reste plus beaucoup d'années d'orgasme en stock, ma poule, alors tant que j'en suis encore capable, je compte bien leur pomper un max de plaisir, à tous ces gars. Et quand je dis « pomper », je sais de quoi je parle!

Je lève les yeux au ciel et secoue la tête, aussi dépitée qu'amusée.

Ah, sacrée Ginger…

Après un petit supplément de propos salaces entrecoupés d'interjections offusquées, Ginger me promet de me sortir un peu ce soir, histoire de descendre quelques verres. L'occasion est trop belle pour que je décline son invitation, aussi, nous prévoyons de nous retrouver dans un pub du centre qu'elle connaît bien. J'ai à peine le temps de raccrocher que je me sens déjà un peu mieux.

Alors que je suis en train de terminer mon deuxième verre au bar, mon téléphone sonne. Lorsque je vois apparaître le nom de Ginger sur l'écran, mon moral en prend un coup.

— Où est-ce que tu es? dis-je sans préambule.

—Je ne vais pas pouvoir venir ce soir, ma puce. Tad a besoin d'un coup de main. Norma est malade, du coup, je n'ai pas vraiment le choix. Je viens tout juste de faire demi-tour. Je suis vraiment navrée, Liv. Mais je me rattraperai, c'est promis.

Je serre les dents.

—Ne te bile pas, Ginger. Ce n'est que partie remise.

—Et en attendant, règle ces histoires de queues. Une bite d'amarrage, c'est suffisant pour une petite barque : pour en utiliser deux, il faut un peu plus d'envergure. Essaie la première, essaie l'autre, puis fais ton choix. T'es encore bien jeune pour avoir les yeux plus gros que le ventre. Laisse ça aux couguars.

—Je tâcherai de m'en souvenir, dis-je, accompagnant ma réponse d'un petit rire entendu.

—Contente-toi de m'envoyer celui que tu recaleras. Je lui ferai vite oublier que tu l'as jeté. Pour quelques heures, en tout cas, ajoute-t-elle, avant d'éclater d'un rire de vieille fumeuse. On se rappelle, ma puce. Bisous.

Et elle raccroche.

Esseulée, je balaie le bar du regard. Si je n'ai pas vraiment envie de rentrer et de me retrouver seule à ressasser mes histoires, je ne suis pas plus enthousiaste que cela à l'idée de rester ici livrée à moi-même. Je lâche un soupir déprimé et me lève, glisse quelques billets sous mon verre vide, puis abandonne ma chaise de bar, filant vers la sortie en fouillant mon sac à la recherche de mes clés.

« *Essaie la première, essaie l'autre, puis fais ton choix.* »

Les paroles de Ginger résonnent dans ma tête. En plus de sonner terriblement aberrantes, elles ne me semblent avisées que pour la plus vile des garces. Et en même temps…

Même si je brûle d'envie que ça se concrétise, je ne pourrais jamais finir avec Nash. Il sort avec Marissa. Je les ai même surpris dans le feu de l'action ce matin ! D'ailleurs, rien que d'y penser, j'en ai encore la nausée.

Et puis, je me rappelle sa caresse furtive… Je me demande s'il pense à moi comme je pense à lui.

Quant à Cash… Au moins, avec lui, les choses semblent plus simples… Plus superficielles aussi. Sans lendemain, mais, au moins, je sais à quoi m'en tenir.

Les pensées les plus délurées défilent dans mon esprit, tandis que je monte dans ma voiture et démarre le moteur. Ou du moins tente de le démarrer.

Putain, j'y crois pas !

Je martèle le volant du plat du front en voyant les loupiotes peiner à s'illuminer.

—Pitié, non !

J'allume l'ampoule du plafonnier : elle éclaire à peine le siège arrière. Voici un symptôme que je ne connais que trop bien chez les voitures malades. Ce n'est pas ma première fois.

—Putain de batterie de merde !

Tandis que je hurle à pleins poumons, je percute accidentellement le klaxon qui émet aussitôt un bruit proche du cri d'agonie d'un canard plombé.

—Et ne réponds pas, bordel ! Encore un mot et tu finis à la casse ! À toi la rouille, sale garce !

Évacuer ainsi la pression me fait un bien fou, même si cela implique de hurler, à la sortie d'un bar, sur un véhicule évidemment inanimé.

Particulièrement inanimé, d'ailleurs.

Et maintenant, quoi ?

J'ai besoin que quelqu'un me ramène. Hors de question que j'appelle une dépanneuse pour un truc aussi élémentaire : ça me coûterait une fortune. Malheureusement, ma réserve d'amis commence à se tarir dangereusement.

Voilà ce qui arrive quand tu n'as qu'un salaud en tête pendant deux ans, et que l'année suivante, tu fais tapisserie dans son salon.

Je ferme les yeux et tente tant bien que mal de trouver une solution. Comme toujours ces temps-ci, deux visages hantent mon esprit. Deux visages qui se ressemblent étrangement.

Nash doit probablement être occupé. Selon Marissa, il est toujours débordé. Je n'ai aucune envie de le déranger en jouant la carte de la demoiselle en détresse, ce, malgré le désir que j'éprouve à le voir cavaler jusqu'ici pour me sauver.

Cash, dans ce cas? Il est indépendant et s'absente toutes les nuits des heures durant. Qui plus est, il n'est qu'à quelques pâtés de maisons. Tout me pousse à l'appeler. Le truc, c'est que j'ai des papillons dans l'estomac rien que de penser à ce qu'il pourrait exiger de moi en dédommagement...

Cela dit, cette perspective m'excite terriblement, c'est indéniable.

«Essaie l'une, essaie l'autre.»

Je chasse aussitôt le visage de Ginger de ma tête, récupère mon téléphone et sélectionne le numéro de Cash dans ma liste de contacts. Il répond à la deuxième sonnerie.

—Cash? C'est Olivia.

—Ça roule? lâche-t-il sur un ton abrupt.

Sa façon de me répondre me surprend. Je ne sais pas à quoi je m'attendais, mais certainement pas à cela. Peut-être que je m'imaginais l'entendre parler d'une voix suave et sexy, et tenter de m'inciter à coucher avec lui. Malheureusement, et j'en suis clairement déçue, ce n'est absolument pas le cas.

—Je te dérange? Parce que je peux tout à fa...

—Tu ne me déranges pas. Ça roule? répète-t-il.

—Je suis vraiment navrée de t'appeler pour un truc aussi con, mais j'ai l'impression que la batterie de ma voiture est morte. Je suis coincée à quelques rues de chez toi, et je me demandais si tu pouvais venir me prendre.

Un long silence. D'autant plus long, d'ailleurs, que je suis déjà à cran. L'espace d'une seconde, j'envisage ni plus ni moins de raccrocher... Un peu puéril? Peut-être: après quelque chose d'aussi embarrassant, je n'aurais plus qu'à quitter l'*Hypnos Club*, l'école et à rentrer à la maison. Dans le même temps, cela me permettrait d'abandonner ici le chaos de ces derniers jours... Cette idée a beau être radicale, elle n'en demeure pas moins séduisante, par moments.

Mais je ne raccroche pas. Je me contente d'attendre, le visage empourpré par la gêne.

—Où est-ce que tu es ?

Je lui donne l'adresse.

—Si je viens dans un quart d'heure, ça ira ? J'ai un truc à faire avant de pouvoir filer, mais je me pointe tout de suite après.

—Ne t'inquiète pas. Prends ton temps.

—Tu peux retourner prendre un verre à l'intérieur en attendant ? Je ne suis pas fan de te savoir seule dans ta voiture, comme ça. Tu es seule, n'est-ce pas ?

—Oui, je suis toute seule. Mais ça ira. Je vais ju…

—Olivia, je n'aime pas ça. Tu peux retourner à l'intérieur, s'il te plaît ? Ça me rassurerait.

Vu comme ça…

—OK, je retourne à l'intérieur. Appelle-moi quand tu arrives.

—À tout à l'heure, lâche-t-il avant de raccrocher.

Je jette mon téléphone dans mon sac, baisse le rétroviseur et vérifie mon maquillage. Je sais que je devrais m'en fiche, mais je suis bien contente de m'être pomponnée avant mon rendez-vous avec Ginger. Après une petite retouche de rose à lèvres, je me passe une main dans les cheveux et rajuste le tee-shirt rouge et ample qui dévoile l'une de mes épaules.

Une fois à l'intérieur du bar, je commande une bière : ça ne coûte pas grand-chose, je pourrai donc la laisser là sans regret à l'arrivée de Cash, et ça ne me rendra pas complètement pompette si je la termine.

Vingt minutes sont passées ; j'ai déjà vérifié six fois mon téléphone. Je me demande si le monde entier a décidé de me laisser tomber, ce soir, quand la porte du bar s'ouvre sur Cash qui avance vers moi à grands pas.

Dès que ses yeux croisent les miens, ma bouche s'assèche. Il me décoche un de ces sourires asymétriques et insolents dont il a le secret, et je le maudis de s'approcher de moi aussi rapidement : je crois que j'aurais pu le regarder marcher toute la journée. Il est foutu comme un dieu, et sa tenue de travail – jean noir, tee-shirt noir moulant, bottes noires – le rend littéralement à croquer. Je dévore des yeux ses épaules charpentées, sa taille fine et sa peau couleur miel. Et ces yeux... Bon sang, ces yeux d'encre! Ils scintillent comme deux perles noires au milieu de son visage d'une perfection presque irréelle.

Lorsqu'il arrive à ma hauteur, je me demande si je n'ai pas une culotte de rechange – la mienne est trempée.

Je commence à me lever de ma chaise de bar, mais il m'en empêche.

— Termine ta bière, me lance-t-il, avant de saluer le barman d'un hochement de tête. Un Jack Daniels. Sec.

Le barman fait glisser le verre devant Cash qui sirote une gorgée d'alcool, puis se tourne vers moi. Il a tout l'air de vouloir s'attarder un peu.

— Alors, qu'est-ce que tu fais ici à te saouler toute seule? plaisante-t-il.

Nerveuse, je gratte du pouce l'étiquette de ma bière.

— Je devais passer la soirée avec quelqu'un, mais on m'a plantée à la dernière minute. Et bien sûr, j'étais déjà sur place quand j'ai appris la nouvelle.

J'ai du mal à ne pas paraître amère en lui expliquant la situation.

— Tu veux que j'aille lui botter le cul? me demande-t-il, le sourire aux lèvres, en me regardant par-dessus son verre.

— Non merci: je n'aimerais pas qu'elle te botte les miches devant tout le monde.

— Ah! Tu parles de ta petite amie? La goudou!

Ses yeux pétillent: il me cherche et, de toute évidence, il y prend un malin plaisir. Voilà qui ressemble plus à Cash que ce que j'ai entendu tout à l'heure au téléphone. Bon, il y va un peu fort, là: la remarque est à la fois assez trash et... troublante.

Ne le laisse pas te faire chavirer...

Et puis, tout à coup, les mots de Ginger me reviennent en tête, et je gagne en assurance. En zèle, presque.

— Les filles, ce n'est pas trop mon truc, tu sais. Je suis très... mecs. Très.

Je voulais que ça sonne «femme fatale», mais je me demande si je n'ai pas plutôt l'air d'une traînée avec des répliques de ce genre...

Trop tard...

— C'est ce que j'ai cru comprendre, hier soir.

Il lève un sourcil, et ses lèvres peinent à réprimer un sourire.

Mais merde! Il est interdit d'être aussi sexy!

— Qu'est-ce que c'est que ces sous-entendus, là?

— Si tu n'aimes pas les sous-entendus, on peut rejouer la scène, si tu veux, propose-t-il à voix basse, en se penchant vers moi. Je suis au garde-à-vous, madame.

Il me défie du regard, mais j'hésite... Je ne suis pas sûre d'être prête à profiter de ce qu'il semble avoir à m'offrir. Parviendrai-je à jouir de cette liaison sans m'attacher à lui?

Je me racle la gorge et baisse les yeux vers ma bière, fuyant Cash pour mieux me protéger.

Futé comme il l'est, il a tôt fait de décrypter ma réaction.

— Bon, lance-t-il avec nonchalance. Et si tu me parlais un peu d'Olivia?

Je hausse les épaules.

— Il n'y a pas grand-chose à dire. Je viens de Salt Springs, j'ai grandi à la ferme avec mon père éleveur de moutons, et j'ai quelques années d'études supérieures à mon actif.

— Une vie entière résumée en une phrase? Je ne sais pas si je dois m'extasier ou m'apitoyer. Rassure-moi, tout ça, c'était saupoudré de petits copains et de soirées un peu folles?

Je souris.

— Un peu de chaque, oui. Je n'ai jamais été délurée, mais je ne suis pas non plus coincée. Disons que je suis plutôt dans la moyenne.

— Tu es tout sauf dans la moyenne, Olivia! me contredit Cash le plus sérieusement du monde.

Je lève les yeux vers lui: il ne sourit pas, n'a pas l'air de me taquiner... Mes joues s'empourprent.

— Merci.

Nous échangeons un regard pendant quelques secondes jusqu'à ce que l'atmosphère se charge d'une tension insoutenable. Je tourne la tête.

— Dans quel domaine, ton diplôme ?

— Compta.

— Compta ? La compta, c'est pour les vioques à chignon dont les placards débordent de chaussures orthopédiques. Pourquoi est-ce que tu t'es lancée là-dedans ?

Je visualise ce qu'il vient de dépeindre et éclate de rire.

— Les chiffres, c'est mon truc. Qui plus est, avec un diplôme de compta, je pourrai aider mon père dans son travail. C'était un choix logique et censé.

— Tu fais ça pour papa, donc…

— En partie.

Il hoche la tête. Son expression trahit sa perplexité, mais il s'abstient de tout commentaire et se contente de changer de sujet.

— Et ta mère ?

— Elle est partie. Il y a des lustres…

Il plisse les yeux, mais, une fois encore, se garde d'émettre la moindre remarque. L'empathie n'est pas la moindre de ses qualités…

— Et ton bad boy ?

— Mon bad boy ?

— Oui, le type que tu évites comme la peste.

— Ah, lui…

Je ris jaune et poursuis.

— Il est tombé dans une bétonnière, riposté-je d'un ton qui, je l'espère, fera comprendre à Cash que j'aimerais autant que possible éviter le sujet.

Il marque une pause, son verre en suspens, à mi-chemin entre le comptoir et sa bouche. J'ai l'impression qu'il se demande si je suis sérieuse. Au bout de quelques secondes, il sourit et sirote une gorgée de Jack Daniels.

— Pauvre gars… Et celui d'avant ?

— Dévoré par un requin.

146

—Et celui d'avant?

—Kidnappé par un cirque itinérant.

Il se marre.

—Ta vie est un vrai roman d'aventure, dis-moi.

—Avec une vraie morale pour mes futurs prétendants.

—Je suis du genre à prendre des risques, annonce-t-il en ponctuant sa phrase d'un clin d'œil.

Mon ventre s'éveille, et mon cœur tressaute, signe qui, en soi, est annonciateur d'un danger imminent.

Changement de sujet! Changement de sujet!

—Et toi, alors, ta famille?

La question le refroidit, et son sourire charmeur s'évanouit.

—Je ne voudrais pas torturer tes oreilles délicates avec un récit aussi long que terrifiant…

—Oh? Donc, si je comprends bien, tu me poses toutes les questions qui te passent par la tête, mais moi, je n'ai droit à rien?

Je ne plaisante qu'à moitié. J'aimerais vraiment qu'il réponde à quelques-unes de mes questions. D'autant plus que j'ai encore les pieds sur terre – juste assez, à vrai dire, pour me concentrer sur la discussion.

—Mon éducation douteuse et mes relations discutables risquent de te faire trembler dans tes bottes…

De toute évidence, il ne s'agit pas que d'un simple trait d'humour.

Je tourne ma chaise vers lui, puis baisse les yeux vers mes pieds.

—Je ne porte pas de bottes…

—En effet, admet Cash en tendant une main, et en commençant à caresser ma cuisse. Pas de collants non plus…

Ma gorge se serre aussitôt, et je peine à respirer. Des frissons me parcourent l'échine, puis se concentrent dangereusement entre mes cuisses…

Il lève vers moi des yeux luisants. Je sais ce qu'il veut, et je sais qu'il sait que je le veux aussi. Je lis mon propre désir dans son regard, et je ne serais pas hypocrite au point de le nier. Reste à savoir quoi faire de mes fantasmes…

Prisonnière de mon indécision, je tourne mes jambes vers le bar, loin de sa main. Il sourit d'un air entendu et passe à autre chose.

Pour l'heure.

Il termine son verre d'une traite, puis se tourne vers moi. Je fais glisser ma bière plus loin sur le comptoir.

—Prête?

Tu n'imagines pas!

J'acquiesce. J'ignore ce que je viens implicitement d'accepter, mais mon corps tressaille d'excitation face à l'inconnu.

—C'est parti, alors! lance-t-il, un sourire malicieux aux lèvres. L'aventure nous attend…

Je hausse un sourcil perplexe, mais ne peux m'empêcher de sourire.

20

CASH

JE SUIS INCAPABLE DE NE PAS LA TOUCHER LORSQU'ELLE PASSE devant moi. Tandis que nous quittons le bar, je pose ma main au bas de son dos. Aussitôt, je la sens tressaillir… comme si je venais de lui envoyer une petite décharge électrique. Une même énergie crépite entre nous. Je le sens. Elle le sent aussi ; je le devine.

Ne nous leurrons pas, ce qui sature l'atmosphère, c'est le désir. Une attirance presque sauvage, et de l'appréhension à l'idée que le dénouement nous pend au nez. Elle a fait son choix. Elle n'a pas besoin de l'articuler, et n'a plus qu'à s'y résoudre. Elle s'est décidée : je le sens.

Je la guide jusqu'à sa voiture. Ma moto est garée juste devant. Lorsque nous arrivons à son niveau, elle s'arrête net.

— Donc si je comprends bien, ta voiture, c'est… une moto ? me demande-t-elle, les yeux ronds.

— Oui, dis-je en lui adressant un sourire narquois. Et je suis sûr que ça ne te surprend qu'à moitié. Les bad boys, ça brise les cœurs et ça conduit des motos, non ?

Son sourire est discret.

— Ce n'est pas moi qui l'ai dit…

Elle lève les yeux, contourne sa voiture, déverrouille la portière et ouvre le capot.

Je n'aurais pas dû dire ça.

Je récupère les câbles que j'ai emportés pour l'occasion et relie la batterie d'Olivia à la mienne.

— Ce sera suffisant pour que je redémarre ?

—Normalement. Essaie, pour voir.

J'observe Olivia, tandis qu'elle entre dans l'habitacle, s'installe derrière le volant et tente le coup. Le moteur ne se réveille pas et n'émet rien de plus qu'un « clic » de mauvais augure.

Elle secoue la tête et ressort de la voiture.

—Ça ne marche pas.

—Tu crois ?

Au regard noir qu'elle me lance, elle a déjà été plus amusée par mes taquineries.

Bordel, ce qu'elle est craquante…

—Plus sérieusement, j'ai l'impression que c'est un problème d'alternateur, pas de batterie.

Elle se laisse peser mollement sur la portière, dépitée.

—Merde, merde ! C'est hors de prix de faire réparer ça, non ?

—Ce n'est pas donné, c'est sûr. Cela dit, je pourrais mettre quelqu'un sur le coup, dis-je en prenant un air de vieux mafieux.

Elle lève la tête et me sourit.

—Ah ! Les fameuses fréquentations douteuses, hein ? Tu penses pouvoir me récupérer une paire de chaussures en plomb, tant que tu y es ?

—Sûrement, oui, dis-je, pince-sans-rire.

Elle fronce légèrement les sourcils. Elle se demande sans doute si je plaisante.

—Prends tes affaires, je te raccompagne. Je vais appeler mon pote pour qu'il vienne récupérer ta voiture, et on avisera demain.

Elle tapote la portière du bout des doigts, visiblement indécise.

—Ne t'inquiète pas, dis-je pour la rassurer, elle peut rester ici jusqu'à son arrivée. Et puis personne ne partira avec…

Elle pouffe et renâcle légèrement, ce qui la met mal à l'aise.

—En même temps, je me demande si ça ne m'arrangerait pas, que quelqu'un me la prenne…

—Tu sais quoi ? Je pourrais mettre quelqu'un sur le coup…

Elle éclate de rire. J'adore son rire… Il me donne envie de la taquiner… Mais dans un lit où elle serait nue et à califourchon sur moi.

Convaincue, elle verrouille sa voiture et vient se placer à côté de ma moto. Elle hausse les épaules.

—L'étape suivante?

—Tu n'es jamais montée sur une moto?

—Non.

—Il mangeait quoi, ton bad boy, des chamallows?

—Oui, mais acidulés.

J'enfourche ma bécane et m'empare du seul casque que je possède.

—Tu vas avoir besoin d'un docteur ès délinquance, dans ce cas… Tu as pas mal de choses à apprendre.

Ses pommettes rosissent. J'ai envie de l'embrasser. Une fois de plus… Et je l'embrasserai. Mais pas maintenant.

—Enfile ça et monte derrière moi, dis-je en lui tendant le casque.

Obéissante, elle le cale sur sa tête, passe une jambe par-dessus la selle et s'installe dans mon dos. Ses longues jambes nues enserrent mes hanches, et je tourne la tête vers elle : derrière la visière baissée du casque, ses yeux brillent d'excitation.

—Passe tes bras autour de ma taille et accroche-toi.

Ses yeux rivés dans les miens, elle se penche et fait glisser ses mains autour de mon ventre. Sa poitrine généreuse se presse contre mon dos, et je ne fais rien pour retenir mon érection.

Je me retourne et lance le moteur. Je le laisse ronronner quelque temps, le temps de recouvrer mes esprits… J'ai un peu de mal à ne plus l'imaginer assise nue en face de moi, ses jambes nouées autour de ma taille. Je lui offrirai l'expédition la plus mémorable et torride de sa vie…

Je grogne, fais rugir le moteur et relève la béquille. Très vite, nous fonçons au travers des rues telles des balles furieuses fusant vers leur cible.

Je suis accro aux montées d'adrénaline que me procure mon bolide. Depuis des années. J'essaie d'en oublier la présence d'Olivia derrière moi, mais je pense qu'à part une semaine enfermé dans une chambre avec elle, rien ne pourrait me rendre moins conscient de sa présence.

Je n'ose pas imaginer une semaine pareille…

Arriver jusque chez elle ne nous prend guère de temps, et je le regrette amèrement. J'aurais préféré que la chevauchée soit nettement plus longue. D'un autre côté, ce n'est pas plus mal : plus elle reste serrée contre moi, plus il m'est difficile de me contrôler. Surtout depuis que je suis convaincu qu'elle a envie de moi.

Et qu'elle est sur le point de céder.

Je me range près du trottoir. Elle semble hésiter à s'éloigner et se rapproche finalement de moi pour me tendre le casque. Je le cale entre mon bras et ma jambe, et attends qu'elle prenne la parole. Elle a l'air d'avoir quelque chose à me dire.

—Comment se fait-il que tu connaisses mon adresse ?

Elle n'a pas l'air inquiète. Simplement curieuse.

—Les formulaires d'embauche. Tu te souviens ?

—Aaah…, murmure-t-elle en acquiesçant.

Elle reste là, sans rien faire. Et je pense savoir pourquoi.

—Tu restes boire un verre ?

—Il faut que je file, mais merci beaucoup pour l'invitation.

Elle dissimule sa déception avec brio. Mais le jour où une femme pourra me dissimuler ce qu'elle pense n'est pas encore arrivé…

—OK. Merci, en tout cas. J'apprécie vraiment que tu sois venu me dépanner. Et que tu aies joué les taxis, bien sûr.

—Pas de souci.

—À demain, donc ?

—Ouaip. Je t'appelle.

Elle acquiesce de nouveau. Lentement… Elle tarde à partir.

—Bon, eh bien… Bonsoir, dans ce cas.

J'aime la regarder, l'observer quand elle doute, quand elle hésite. Quand elle essaie de ne pas laisser paraître ce qu'elle ressent alors que nous savons parfaitement l'un et l'autre de quoi il s'agit. Je vais prendre un tel pied à la chauffer… Ça promet d'être électrique, subtil, sexy et terriblement savoureux.

Je tends la main et balaie délicatement une mèche de cheveux posée sur sa joue.

—Fais de beaux rêves, Olivia.

Je me dépêche de mettre mon casque pour lui dissimuler mon sourire.

Si elle me veut, elle va devoir me supplier…

21

OLIVIA

Je m'éloigne de Cash avant de faire une bêtise. Comme lui demander sans crier gare de monter me prendre dans ma chambre, par exemple ?

Non, mais, c'est quoi ton problème, Liv ?

Je n'ai le temps de faire que quelques pas avant de repenser à ma voiture. Aussitôt, je me retourne vers Cash, espérant qu'il n'ait pas encore démarré. Je sors mes clés de mon sac et les lui tends.

Je devine son air perplexe à travers sa visière teintée.

— Tu n'en as pas besoin pour rentrer ?

— J'ai un double.

Il hoche la tête, prend les clés et les glisse dans l'une de ses poches.

Je lui adresse un sourire furtif, puis m'éloigne au plus vite. Je me refuse à me retourner, même si je sais qu'il est encore là, à me regarder. J'entends le ronronnement de sa moto, mais, plus que cela, je sens ses yeux posés sur moi. J'aimerais tellement que ce ne soient pas ses yeux, mais ses mains et sa bouche.

Je ferme les yeux et récupère ma clé sous le petit pot de fleurs du perron. Ce n'est que lorsque je la glisse dans la serrure que j'entends Cash accélérer. Il attendait probablement d'être sûr que je n'allais pas me retrouver à la rue.

Pitié, non ! Ne la joue pas mec attentionné sinon je n'ai plus la moindre chance de te résister !

155

Une fois à l'intérieur, je m'adosse à la porte et reste là, les yeux clos, jusqu'à ce que s'évanouisse le vrombissement de la moto de Cash.

Mes jambes et mes fesses sont encore parcourues par les fourmillements provoqués par notre chevauchée sur le deux-roues. Le reste de mon corps, lui, est parcouru de fourmillements d'un autre genre, à force d'être resté si longtemps collé à celui de Cash. Je suis submergée par des vagues de désir et de frustration.

Sexuellement contrariée et furieuse d'être incapable de contrôler mes hormones, j'allume la lumière et décolle mes fesses de la porte. La première chose que je remarque est le vase de fleurs posé sur la table basse du salon. En même temps, j'aurais eu du mal à rater la tache de couleur qui jure presque avec la décoration assez neutre de la pièce. J'avance jusqu'au bouquet de lis, et me penche pour les humer… Il s'en dégage un parfum envoûtant. Quelque chose chatouille mon visage, et je baisse les yeux.

Une carte. Elle annonce l'expéditeur.

Je m'empare de l'enveloppe délicate. Si je me sens coupable de m'immiscer ainsi dans la vie de Marissa, je me rassure en me disant qu'elle n'avait qu'à ne pas laisser traîner ses affaires. D'autant plus quand ses affaires se trouvent être de somptueux bouquets de fleurs.

Tandis que je tire la carte de son enveloppe, je me fustige de m'infliger une telle torture. Je sais pertinemment qu'elles viennent de Nash. Je soupçonne qu'il s'agit là d'une petite note amoureuse qui me donnera probablement envie de me jeter d'un immeuble vertigineux, mais cela ne m'arrête pas. Je suis trop curieuse, alors je la lis…

Et je tombe des nues.

« Olivia,

Si tu as besoin de quoi que ce soit, appelle-moi. Je ne suis jamais bien loin.

N. »

Un frémissement me parcourt l'échine. Nash a dû utiliser les clés de Marissa pour entrer et déposer ce bouquet pour moi. Je ne peux m'empêcher de me demander s'il s'est contenté de venir et de les laisser là avant de filer ou s'il est resté quelques instants. Qui sait… il s'est peut-être attardé dans le salon… ou dans ma chambre.

Mais je serais étonnée que Nash ait fait une chose pareille. Choquée aussi… Mais il n'en est rien. Étrangement, l'idée qu'il ait exploré ma chambre à coucher m'excite. Or, je suis déjà assez excitée comme ça par son dangereux frère jumeau.

Sentant que si je continue à fantasmer, je suis bonne pour une séance *sextoy*, je me prépare pour aller au lit. Mon brossage de dents vigoureux et l'eau glaciale sur mon visage ne changent pas mon humeur sulfureuse : les deux frères ont investi mon esprit et me défient à grand renfort de provocations, de regards et de caresses. Lorsque je me glisse sous mes draps, je n'ai que peu de doute sur le matériau dont seront faits mes rêves, et sur l'identité des artisans qui en travailleront la matière.

Je suis réveillée par le bruit de la porte d'entrée qui se referme. Comme je venais juste de m'endormir, je mets du temps à savoir si je suis bel et bien sortie de mon sommeil.

Étonnamment, je ne ressens pas la moindre peur lorsque j'aperçois une silhouette sombre et massive s'arrêter devant la porte de ma chambre. Je la reconnais aussitôt. Je l'aurais reconnue entre mille : ces contours, cette façon de se mouvoir…

C'est Cash.

Ou Nash.

J'essaie de parler, mais les mots se perdent à la frontière de mes lèvres lorsque je le vois s'approcher de moi. Il s'arrête au pied du lit. J'ai toujours adoré que ma chambre soit aussi sombre, mais cette nuit, je donnerais tout pour y voir un peu plus clair ; pour apercevoir un indice qui me permette de déterminer de quel frère il s'agit.

Il se penche et s'empare des couvertures, les fait glisser sur le côté. Des frissons parcourent mes jambes et mes bras ; en raison de la fraîcheur qui glisse tout à coup sur ma peau, bien sûr, mais surtout à cause de l'homme qui se tient à deux pas de moi.

Il ne dit rien. Moi non plus. Je sais instinctivement que les mots terniraient l'érotisme parfait de l'instant. Et c'est la dernière chose dont j'ai envie.

Sûr de lui, il se penche en avant, ouvre les mains et passe ses longs doigts autour de mes chevilles. Lentement, il m'attire vers lui, vers le bout du lit. Je peine à trouver mon souffle et, haletante d'excitation, je reste silencieuse.

Ses doigts libèrent mes chevilles, mais ses mains ne quittent pas ma peau. Au lieu de cela, ses paumes glissent le long de mes mollets, jusqu'à mes genoux. Là, il marque une pause... Une respiration plus tard, il se penche en avant, et je sens ses lèvres se poser sur ma cuisse gauche, brûlante comme un fer chauffé à blanc. Sa langue s'aventure lentement au-dehors et goûte lentement ma peau, enflammant mon corps entier.

—Ça fait des jours que je suis obsédé à l'idée de te faire ça..., murmure-t-il, si doucement que je peine à l'entendre. Si tu ne veux pas que je le fasse, si tu n'as pas envie de moi, dis-le maintenant.

Tout en parlant, ses mains caressent l'extérieur de mes cuisses, glissent sous l'élastique de ma culotte. Il marque une nouvelle pause. Peut-être attend-il un signal de ma part. À moins qu'il hésite à s'exécuter... Je n'en sais rien, en partie parce que j'ignore tout bonnement qui est dans mon lit. Et pour l'heure, je m'en contrefiche. Je les veux tous les deux : Cash et Nash. Chacun traîne avec lui un chapelet d'emmerdements, alors peut-être vaut-il mieux que je ne sache pas à qui j'ai affaire.

Pour ce soir, je m'en moque. Je n'y pense même pas. Tout ce que je veux, c'est assouvir mes désirs.

Je sens ses mains se tourner et ses doigts s'enrouler autour de l'élastique de ma culotte. Il s'arrête encore. Je me demande à quoi il pense, et ce que je peux faire pour l'inciter à continuer. Je soulève mes fesses. J'entends un souffle d'air filer entre ses dents, tandis qu'il fait glisser ma culotte le long de mes jambes. Ce devait être la réponse qu'il attendait.

L'excitation soulève soudain ma poitrine, lorsque je sens ses mains glisser jusque sur l'intérieur de mes cuisses et écarter délicatement mes jambes. Il pose un genou entre les miens sur le lit et se penche en avant, déposant ses lèvres sur mon ventre.

—Je meurs d'envie de te goûter…, murmure-t-il, sa langue s'enfonçant dans mon nombril.

Je frémis de désir, les muscles de mon ventre se contractent.

—De te toucher…

Lorsque je sens sa paume large et puissante envelopper mon sexe, j'écarte un peu plus les jambes. Il me récompense en insérant l'un de ses doigts entre mes lèvres chaudes. Je gémis de plaisir et l'entends grogner en réponse.

—Bon sang, tu es trempée…

Il glisse un deuxième doigt en moi.

—C'est moi qui te mets dans cet état ? murmure-t-il, plus comme une assertion que comme une vraie question, tandis que ses doigts se lancent dans une insoutenable succession de va-et-vient.

Je lève mes hanches pour l'aider à s'enfoncer plus loin.

Ses lèvres glissent le long de mon ventre, et je sens ses épaules s'installer entre mes jambes. Son souffle chaud caresse mon clitoris, juste avant le premier assaut de sa langue brûlante. Presque malgré moi, je décolle le dos de mon matelas.

—Tu es encore plus délicieuse que ce que j'espérais…, dit-il dans un soupir, ses doigts avides caressant encore l'intérieur de mon ventre.

Jouant des lèvres et de la langue, il lèche mon sexe brûlant jusqu'à ce que je ressente les prémices d'un orgasme. Mes hanches accompagnent ses mouvements, et c'est au tour de mes lèvres humides de caresser sa bouche, alors que ses doigts insatiables s'enfoncent en moi, de plus en plus profondément, de plus en plus vite…

Mes mains empoignent ses cheveux, et c'est sa tête entre mes mains que j'explose, et que le monde s'écroule autour de moi. Une lumière intense envahit mes paupières, et je crie sans retenue. Alors, il bloque mes cuisses de ses deux mains, puis m'achève en enfonçant profondément en moi sa langue torride, léchant l'intérieur de mon ventre.

Mon cœur s'emballe résolument lorsqu'il se redresse et s'avance pour retirer le débardeur qui le privait de ma poitrine. Je ne sens plus le moindre de mes muscles lorsque ses mains enserrent mes seins, et que ses doigts provoquent mes tétons raidis par l'extase.

Il en guide un vers sa bouche, le stimule de ses dents expertes, intensifiant la vague de plaisir qui me submerge. Je lève mes mains, les pose sur ses épaules et sens sa peau sous mes doigts. Il est torse nu.

Sa bouche assaille mon autre sein, le goûte et le provoque à son tour, et je passe mes doigts dans ses cheveux.

Il lève alors la tête, et ses lèvres se posent sur les miennes.

Sa langue franchit la barrière de mes lèvres, caresse la mienne. Lentement, je l'enserre de mes lèvres et je joue avec gentiment. Lorsque je la libère, je l'entends murmurer d'une voix rauque.

—Cette saveur, c'est la tienne…

Je prends son visage entre mes mains, puis lèche les contours de sa bouche, descends jusqu'à sur son menton. Il grogne sans retenue et presse son corps contre le mien.

—Voilà, comme ça… Tu aimes ça, n'est-ce pas ?

J'entends sa fermeture Éclair s'ouvrir, puis le frottement de son pantalon contre ses jambes. Je le lui ôte à l'aide de mes talons, chavirant lorsque je sens sa peau nue se poser contre celle de mes jambes.

Il contracte les cuisses, et je sens le bout de sa verge glisser le long de mes lèvres. Il m'effleure à peine, me caresse jusqu'à pousser ma frustration à son comble.

—Pour te rassurer, je suis clean… Pitié, dis-moi que tu l'es aussi et que tu prends la pilule…, implore-t-il d'une voix suppliante.

—Oui.

Mon premier mot depuis son arrivée se perd au milieu de mes respirations saccadées.

Il place ses deux coudes sur le matelas et recouvre mon corps brûlant. Je sais qu'il ne peut pas plus voir mon visage que je peux voir le sien, mais je sens ses yeux posés sur moi. Quoi qu'il en soit, je n'ai aucun mal à percevoir le sourire qui se devine dans sa voix lorsqu'il exulte :

— Parfait !

Avant de s'immiscer en moi…

Il m'arrache un cri plaintif en se retirant après ne s'être invité en moi que de quelques centimètres, mais il revient aussitôt à la charge, plus loin cette fois. Il me laisse le temps de m'habituer à son membre aux proportions colossales, puis se retire… Encore et encore, il me provoque, m'envahissant chaque fois un peu plus, jusqu'à ce que je sois sur le point de hurler.

— Dis-le…, murmure-t-il, tandis qu'il me tourmente de va-et-vient rapides et peu profonds.

Je lève mes mains, agrippe ses cheveux, attire sa bouche contre la mienne et le supplie de coups de langue langoureux, lui exprimant la plénitude de mon désir. J'enfonce mes dents dans sa lèvre inférieure et soulève mes hanches, espérant l'accueillir tout entier, mais il me fuit, refusant de se laisser aller tout entier en moi.

— Dis-le…, répète-t-il.

Je meurs d'envie de le sentir au plus profond de moi. À la perspective d'un nouvel orgasme, mes muscles se contractent tandis que j'enserre ses hanches de mes jambes, le suppliant de tout mon corps. Mais, il résiste encore, s'aventurant timidement en moi, avant de se retirer.

— Dis-le…, murmure-t-il pour la troisième fois.

Ma langue file de la base de son cou jusqu'à son oreille, et, luttant contre ma respiration haletante, j'y susurre les seuls et uniques mots qu'il attend que je prononce.

— Je t'en supplie…

Soudain, il baisse la tête, m'embrasse fougueusement, et s'immisce entièrement en moi, plus profondément encore que je l'espérais. Sauvage, l'assaut me coupe le souffle. Il m'offre la pleine mesure de sa puissante verge, tandis qu'il donne de grands coups de reins, éprouvant l'étroitesse de mon sexe humide, me guidant vers l'extase à chaque nouvel à-coup.

Ses lèvres caressent la peau de mon visage au rythme de son déhanchement, puis il embrasse mon cou, avant de descendre plus bas vers la vallée perlée de sueur qui court entre mes seins. Dès que sa bouche emprisonne mes tétons frémissants, le sang afflue et décuple l'intensité de ses caresses. Je me cambre, plaque mes seins contre son torse, le suppliant ainsi de les régaler de sa langue torride et insatiable.

—Jouis pour moi…, murmure-t-il, capturant de ses lèvres un de mes tétons, et le mettant au supplice.

Comme pour ponctuer sa requête, il plaque ses hanches contre les miennes et mord un de mes seins.

—Jouis pour moi! grogne-t-il.

Il ne m'en faut pas davantage. Ceignant son corps entier de mes bras et de mes jambes, je m'abandonne à mon second orgasme, jouissant au vertige, tandis qu'il continue de frotter lentement son ventre contre le mien.

Je parviens à peine à respirer, et il accélère encore le mouvement. Mon corps tout entier tente de se fondre en lui, mes spasmes de plaisir l'appelant à me rejoindre dans l'orgasme. Alors, tout à coup, sa respiration s'arrête et, tout entier, il se raidit.

—Olivia…, gémit-il, tandis que l'extase le saisit, laissant déferler au plus profond de moi des vagues chaudes et puissantes.

Ses mouvements se font plus lents, mais il demeure en moi, mes spasmes ayant raison de ses dernières forces. Nous restons ainsi de longues minutes. De longues, sublimes et parfaites minutes.

Lorsque ni lui, ni moi n'avons plus rien à offrir à l'autre, il s'effondre sur moi, et nous restons là, pantelants, tentant de reprendre notre souffle. Tout son poids reposant sur ses avant-bras, il niche son visage dans le creux de mon oreille et y dépose un baiser délicat et humide. Il ne dit rien, mais sa respiration chaude a tôt fait d'assécher ma peau moite.

Mon cœur est saturé d'émotions d'une intensité folle, mille questions tourbillonnent dans ma tête, et mon corps fébrile est encore agité de spasmes. Ce qui vient de se passer me condamne probablement à un paquet d'emmerdements, et pourtant, je m'en fiche éperdument.

Je n'aurais jamais cru cela possible en un moment de trouble et de fantasme aussi intense, mais, alors même que mille pensées m'envahissent, je m'endors à poings fermés.

L'aube est encore naissante lorsque j'ouvre les yeux. Mes premières pensées vont aux baisers enivrants et à la nuit torride que je viens de passer.

Je balaie du regard ma chambre vide : où que se posent mes yeux, je ne vois aucune preuve de la visite nocturne d'un mystérieux amant. Pour tout dire, sans les élancements que je ressens entre les cuisses, je serais tentée de croire que tout ceci n'a été qu'un rêve.

Je souris. Cette délicieuse douleur me rappelle l'arme démesurée qui l'a infligée.

L'arme ? Carrément ? Tu es troublée, Liv…

Je pouffe. C'est irrépressible… Je suis heureuse. Très heureuse. Pour l'heure, en tout cas.

Je devrais être fatiguée, mais non : je me sens ressourcée et prête à affronter la journée.

— Ginger a peut-être raison, finalement. Il se peut que j'aie besoin d'une cure de sexe.

Mes mots résonnent dans la pièce vide ; me rappellent que j'ai la maison pour moi seule. Marissa ne reviendra que dans deux semaines au moins, et cette raison suffit à justifier mon alacrité.

Le seul fait de penser à Marissa suffit à faire apparaître le visage de Nash dans mon esprit. Et si c'était lui qui m'avait rendu visite cette nuit ? Je n'y voyais pas suffisamment clair pour voir si le torse nu qui me recouvrait était ou non orné d'un tatouage. Comment pourrais-je savoir de qui il s'agissait ?

L'espace de quelques secondes, je repense à la douceur de la peau tendue sous mes doigts, à la puissance de ses bras et de ses épaules charpentées, à ses hanches calées entre mes cuisses. Ces simples souvenirs me laissent excitée et humide.

Je me débarrasse de mes couvertures et file droit dans la salle de bains. Sous la douche, je me creuse la tête pour tenter d'identifier quelque indice qui me permettrait de savoir lequel des deux frères m'a offert une nuit si extatique : je pense qu'ils sont tous deux aussi capables de m'offrir des instants de plaisir d'une telle intensité, et rien de ce qui a été dit ou fait ne me semblerait surprenant de la part de l'un comme de l'autre. Et il faut bien avouer que nous n'avons pas beaucoup fait usage de la parole…

Je souris, rien que d'y penser.

Plus de mots, cela aurait été trop de mots…

Je poursuis mon enquête… Les deux n'auraient eu aucun mal à entrer : Cash est en possession de mes clés, et Nash de celles de Marissa. De la même façon, ils m'ont clairement fait savoir, l'un comme l'autre, qu'ils me désiraient. En définitive, il n'y a guère que l'envie de passer à l'acte qui puisse me donner quelque indice. Si Cash a formulé sans circonvolution son envie de coucher avec moi, Nash, lui, est casé et bel et bien décidé à rester fidèle.

Mais, soudain, il me revient à l'esprit que c'est moi qui ai mis un terme à notre égarement sur la terrasse du cabinet d'avocats… Si je ne l'avais pas fait, n'aurions-nous pas fait l'amour là-haut, sur la chaise longue sur laquelle il s'était déjà probablement assis avec Marissa ?

Plus j'y réfléchis, plus la question me semble insoluble, et moins je me sens à l'aise. Aussi, j'arrête d'y penser : je n'aurai qu'à demander à Cash si l'on a couché ensemble, la prochaine fois qu'on se croisera.

C'est tellement facile à aborder, comme sujet…

Je m'habille et me rends dans la cuisine pour me préparer un café. À peine arrivée, je suis surprise d'entendre mon téléphone sonner dans ma chambre. Sans plus y réfléchir, je file décrocher.

Lorsque je vois le nom de Nash sur l'écran de mon portable, les muscles de mon ventre se crispent. Pourquoi m'appelle-t-il aussi tôt dans la matinée ? Pour me dire qu'il vient de rentrer après une nuit d'amour ? Ou parce qu'il a passé une bonne nuit de sommeil et qu'il s'est levé de bonne heure ? Ce qui, par conséquent, signifierait qu'il n'était pas en ma compagnie…

Je fais glisser mon index sur l'écran pour décrocher.

—Allô ?

Un court silence…

—Je te réveille ?

—Non, je me faisais un café.

—Oh, tant mieux. Je n'aurais pas voulu te déranger. Je pensais que tu avais coupé ton téléphone et que j'allais tomber sur ta messagerie. Je voulais juste savoir si tu avais vu les fleurs que j'avais laissées pour toi.

Je suis troublée : cela ne sonne pas comme ce que me dirait un type qui a passé sa nuit à explorer mon corps entier avec sa langue.

—Oui, je les ai trouvées en rentrant hier soir.

—Parfait. Je voulais que tu saches qu'en l'absence de Marissa, au besoin, tu peux m'appeler n'importe quand.

—Hmm… OK. Je… je n'y manquerai pas.

—Je te laisse à ton café, alors. Il faut que je file travailler. J'ai une réunion très tôt, ce matin.

—OK. Merci pour les fleurs, Nash.

—Je t'en prie. Ça m'a fait plaisir aussi, Olivia.

Il sourit au bout du fil, non ?

Ma peau frissonne encore plusieurs secondes après avoir raccroché. Le seul fait de l'entendre prononcer mon nom me rappelle cette nuit… et la voix gémissante qui m'appelait en jouissant en moi.

Sauf que cette voix n'était pas celle de Nash, mais celle de son frère…

Je ne suis pas vraiment surprise de me rendre compte que c'est Cash qui m'a rendu visite cette nuit. Le scénario correspond davantage à sa personnalité qu'à celle de Nash. Qui d'autre qu'un bad boy s'introduirait par effraction chez une femme, et viendrait la réveiller dans son lit pour lui faire l'amour ?

Seul un bad boy serait convaincu que je ne serai pas scandalisée à l'idée qu'il s'introduise ainsi chez moi. Je ne peux m'empêcher de sourire…

Il a du cran, c'est le moins qu'on puisse dire…

Le fait est qu'il avait raison : non seulement je ne suis pas scandalisée, mais je m'en fiche éperdument, pour dire les choses comme elles sont. Je ne me suis pas formalisée qu'il m'ait fait l'amour deux fois de suite. On aurait même pu recommencer trois ou quatre fois si je ne m'étais pas endormie comme une vieille loque. Cela faisait un bail que je n'y avais pas eu droit, et j'avais oublié combien un orgasme de qualité pouvait être relaxant…

Alors que je m'installe dans la salle à manger pour bouquiner un peu avant mes cours, mon téléphone sonne de nouveau. Cette fois, c'est Cash dont le nom apparaît sur l'écran. Des fourmillements parcourent mon ventre.

—Allô ?

—Salut, beauté. Déjà debout ?

—Ouaip, dis-je, incapable de ne pas sourire.

—Ta voiture est chez mon pote. C'était bien l'alternateur.

—Merde…, dis-je, revenant brutalement à la triste réalité de mon vieux tacot. Tu as une idée de combien ça va me coûter, cette histoire ?

—Rien. Il me doit une faveur.

—Je ne sais pas, Cash… Ça me gêne.

—Oh ? Et qu'est-ce que tu comptes faire pour m'empêcher d'intervenir ? me taquine-t-il.

—Je suis sérieuse. C'est trop d'argent. Je ne peux pas te laisser me faire un cadeau pareil…

—Non seulement, tu peux le faire, mais, en plus, tu vas le faire. Et puis, ne considère pas ça comme un cadeau. Je préfère voir ça comme un service que tu devras me rendre à l'occasion…

Je souris de nouveau, excitée, impatiente de découvrir ce qu'il a en tête.

—Ah oui ?

—Ouaip. À commencer par un soir de plus à l'*Hypnos Club* la semaine prochaine, si tu peux te le permettre.

La déception me tombe dessus comme une chape de plomb : la proposition n'est pas aussi torride que ce à quoi je m'attendais.

Après ce qui s'est passé cette nuit, il doit savoir que je suis prête à le dédommager de cent façons – et dans cent positions – différentes...

À moins que ce ne soit pas lui, finalement, qui m'ait rendu visite...

Il faut être sacrément dévergondée pour ne même pas savoir à qui on doit les orgasmes de la veille au soir...

Je lève les yeux au ciel.

Et faut que j'arrête de dire « dévergondée ». C'est tellement désuet... Plus personne ne dit ça !

Personne, sauf Tracey. Ma mère. Il n'y avait qu'elle pour parler comme ça.

Je secoue la tête et tente de me focaliser sur des choses plus importantes que le souvenir de ma mère. Comme l'identité de celui qui m'a fait transpirer tant et si bien cette nuit qu'Atlanta a évité l'inondation de justesse...

À mesure que j'y réfléchis, je me dis que le plus troublant est sans doute qu'aucun de mes deux amants potentiels ne fasse allusion à ce qui s'est passé cette nuit. Il y a quelque chose d'assez pathétique là-dedans, non ?

Oh, pitié non ! J'ai perdu la main ? Je suis devenue nase au pieu, d'un coup ?

Cash se racle la gorge pour se rappeler à mon souvenir.

— Oh ! Navrée ! Tu sais que je ferai ce que je peux pour te dédommager, mais tout dépend de la nuit ! Enfin, je veux dire : tout dépend de l'heure à laquelle je ter...

— T'inquiète, je n'aurai pas besoin de toi longtemps. J'aimerais juste que tu jettes un coup d'œil à mes comptes. Tout ce que je te demande, c'est d'éviter le chignon et les chaussures orthopédiques.

J'éclate de rire.

— OK : je devrais pouvoir manipuler les chiffres sans mes accessoires.

— Je n'en doute pas une seconde, dit-il d'un air presque absent. En attendant ta séance de compta, je suppose que tu vas avoir besoin qu'on te dépose à la fac, non ?

— C'est vrai...

Je n'y avais même pas pensé. Ces deux types ont vraiment semé un chaos total dans mon esprit.

—Je vois mal comment faire, sinon…

—Je passe te prendre dans dix minutes.

Je me concentre pour recouvrer le plein contrôle de mes facultés de raisonnement : si Cash m'emmène à la fac, je ne pourrai rentrer qu'en taxi. Qui plus est, je devrai en prendre un chaque fois que je me rends au travail et que je rentre chez moi jusqu'à ce que ma voiture soit réparée.

—Tu sais, je peux sécher les cours, aujourd'hui. Ce ne sont ni mes heures les plus importantes, ni les plus passionnantes. Et puis tu en as déjà assez fait comme ça.

—Puisque je te dis que ça ne me dérange pas.

—Je préférerais vraiment éviter de te faire déplacer une fois de plus. On se voit ce soir, OK ?

—Habille-toi et prépare tes affaires. Je serai là dans dix minutes.

À ces mots, il raccroche, ne me laissant pas d'autre choix que d'accepter son offre.

Dix minutes plus tard, je reconnais le ronronnement de la moto de Cash. Son bolide vibre jusque dans mon ventre, stimule étrangement ma libido. J'ai beau essayer de m'éloigner de lui, j'ai l'impression que j'ai du mal à me tenir à distance de sécurité…

Et le pire, c'est que je crois que ça m'excite.

Au lieu d'attendre qu'il vienne me rejoindre sur le perron, je pars à sa rencontre, non sans avoir fermé la porte derrière moi.

Cash chevauche son bolide noir et chrome. Son jean –bleu pour changer– enserre ses cuisses puissantes, et son tee-shirt blanc laisse avantageusement apparaître les muscles de son torse. J'ai envie de plonger mes doigts dans ses cheveux blonds en désordre. Son visage me laisse sans voix. Je crois que je ne connais pas de plus bel homme que lui. Qui plus est, ce matin, ses yeux et son sourire semblent embraser de façon surnaturelle l'air qui nous sépare…

J'ai beau connaître les risques auxquels je m'expose, je n'ai qu'une envie : foncer tête baissée dans le feu qu'il attise.

22

CASH

ELLE ME DÉVORE LITTÉRALEMENT DU REGARD. ME DONNE l'impression d'être quelque mets à la saveur incomparable. Cela dit, j'ai beau être impatient de me faire dévorer, je me contrôle. Elle finira par craquer. Elle ne pourra pas résister bien longtemps à ses désirs, à nos désirs. L'attirance est trop forte.

La tentation trop grande.

— Continue à me regarder comme ça et tu vas avoir une grosse surprise en montant en selle.

— Une grosse surprise ? répète-t-elle, un sourire malicieux à la commissure des lèvres. Tu veux parler de ton tic-tac ?

J'aime son sens de l'humour. Il est tout en retenue, comme elle, et il explose sans prévenir aux moments les plus inattendus.

Je souris et lui tends une main.

— Dans ce cas, viens par ici, que je rafraîchisse ton haleine.

Elle rit et, comme chaque fois, je veux qu'elle recommence, quoi que je doive faire pour ça. Elle réfléchit trop, s'inquiète trop. J'ignore pourquoi, mais je le vois. Je le sens. Je n'aspire plus qu'à apaiser ses maux et à lui offrir autant d'instants de plaisir et de lâcher-prise que je le peux.

Plaisir et lâcher-prise… Tout un programme.

J'en grogne presque de plaisir.

Elle glisse sa main dans la mienne et ne la lâche qu'une fois assise derrière moi. Sans même me tourner vers elle, je lui tends le casque, puis, les yeux rivés sur le rétro, la regarde le mettre. Je ne sais pas exactement pourquoi, mais je la trouve sexy avec ce truc sur la tête… Peut-être parce que je l'imagine en combinaison de cuir noir complète et moulante, penchée en avant sur le guidon de mon bolide, et moi derrière, agrippé à ses hanches…

Je serre les dents. Peste soit d'elle et de son corps de rêve !

Je me redresse, lance mes mains en arrière, m'empare de ses genoux, et la tire contre moi. Je sens plus que je n'entends son soupir brûlant lorsque ses cuisses se collent contre mes hanches et que sa poitrine se presse contre mon dos.

Un plaisir dingue m'envahit à savoir nos corps à deux doigts de fusionner… et soudain, elle augmente la mise : elle passe ses bras autour de ma taille, les mains dangereusement posées sur mon bas-ventre, juste au-dessus de ma ceinture… à quelques centimètres de ce qu'elle va sentir dans quelques secondes si elle reste ainsi. Je prends une profonde respiration, mets le contact, puis lance mon bolide sur la route.

J'avoue tarder un peu sur le chemin de la fac…

Lorsque nous arrivons à proximité du campus, elle m'indique le chemin à suivre, et je tourne pour la déposer à l'endroit indiqué. Je me range près du trottoir, pose un pied au sol, stabilise mon engin et attends qu'elle mette pied à terre. Debout devant moi, elle retire le casque. Lorsqu'elle agite délicatement ses cheveux bruns, j'ai l'impression de regarder une pub pour un shampoing… Je suis sûr qu'elle n'a pas la moindre idée de son incroyable pouvoir de séduction. Elle est belle à se damner !

Elle me tend le casque sans me quitter du regard. Comme je ne le prends pas, elle me lance un coup d'œil interrogateur. Bien calé sur mon bolide, je tends une main, repousse le casque, passe ma main dans ses cheveux, puis attire sa bouche contre la mienne.

Elle a beau avoir l'air surprise, elle ne me repousse pas et m'embrasse comme si elle avait été à l'initiative de cet assaut… Et comme si elle en voulait bien plus. Il lui suffirait de le demander, et je la raccompagnerais aussitôt chez elle pour lui faire l'amour jusqu'à l'aube. Cela dit, lorsque je me redresse et étudie ses grands yeux, je me rends compte qu'il est encore trop tôt pour ça. Le moment approche, mais elle n'est pas encore prête.

Peu importe, je peux attendre. Je *dois* attendre.

—Quand est-ce que tu as l'intention de céder?

Elle ne dit rien et se contente de m'observer de ses yeux émeraude. Ses lèvres rouges et charnues sont légèrement entrouvertes. Son souffle est court.

Je lui souris. Je sais que le moment approche…

—Appelle-moi quand tu voudras que je passe te prendre…, lui dis-je avant de déposer un rapide baiser sur ses lèvres et d'enfiler mon casque.

Sa détresse manifeste me donne envie de sourire.

—Ne te bile pas. Tu n'es pas obligée de me dire «oui» aujourd'hui. Je peux attendre. Je suis sûr que tu en vaux la peine.

Avant de baisser ma visière, je lui souris et lui adresse un clin d'œil.

—Moi en tout cas… J'en vaux la peine.

Je démarre et accélère en faisant demi-tour. Je la vois dans le rétroviseur. Elle n'a pas bougé de l'endroit où je l'ai laissée, comme si elle s'était littéralement figée.

Elle ne me quitte pas des yeux.

23

OLIVIA

C'EST OFFICIEL : CASH M'OBSÈDE. CERTES, JE SUIS physiquement présente à chacun de mes cours, mais je n'en retiens pas grand-chose. Tout ce que j'ai appris aujourd'hui, c'est que Cash embrassait comme une tornade bien décidée à dévaster ma vie.

Je ne sais toujours pas qui se trouvait dans ma chambre la nuit dernière, mais je commence à espérer que c'était Cash plutôt que Nash. De fait, Nash est tout ce que je devrais attendre d'un homme, et tout ce que ma mère a essayé de me convaincre que je devrais vouloir. Sans oublier qu'il est d'une beauté à se damner, et qu'il pourrait me faire changer d'avis en se contentant de poser ses lèvres sur les miennes.

Cela étant, à côté de Cash… il m'apparaît peu à peu plus terne.

J'ignore si cette préférence est liée à mon attirance maladive pour les bad boys ou au fait que Cash se révèle être bien plus que ce à quoi je m'étais attendue. Quoi qu'il en soit, il m'obsède. Je l'ai dans la peau, et je doute de parvenir à lui résister encore longtemps.

Cela ne veut pas dire que j'ai oublié la menace qu'il représente, et le fait qu'il risque fort de me briser le cœur. D'ailleurs, je compte bien tenter de ne pas céder aussi longtemps que je le pourrai. C'est juste que je sens, dans mon cœur comme au plus profond de mes tripes, qu'il y a quelque chose entre nous qui ne disparaîtra que lorsque nous l'aurons chassé à grand renfort d'étreintes torrides.

Avant de le voir disparaître au loin, pleurant toutes les larmes de mon corps…

Mais au moins, cette fois-ci, c'est un choix. Mon choix : je m'implique dans cette histoire en connaissance de cause. Je ne suis peut-être pas encore assez forte pour me remettre facilement de mes blessures, mais, au moins, je le suis suffisamment pour assumer ma décision.

Et ma décision, c'est de choisir Cash. De toute façon, je pourrai lutter autant que je veux, c'est inévitable. Raah ! Si seulement il pouvait ressembler un tout petit peu plus à Nash…

La sonnerie de mon téléphone me tire de mes rêveries. J'ai oublié d'activer le vibreur. Je jette ma main au fond de mon sac, et décroche avant que mon professeur se livre à une exécution publique.

Je passe en hâte l'appareil en silencieux et, à l'instant où je m'apprête à le replonger dans mon sac, je vois le nom de Ginger apparaître sur l'écran. Je soupire, ramasse mes livres et mon sac, et me dirige vers la porte. De toute façon, j'ai trop perdu le fil pour que ce cours me serve à quoi que ce soit. Autant partir.

Lorsque je décroche, j'entends aussitôt la voix furieuse de Ginger martyriser le micro de son téléphone en l'affublant d'un chapelet d'insultes à en faire pâlir un Wisigoth.

— Reste dans ta file, putain, espèce de lèche-queue mal bai…

— Ginger ?

Elle se calme aussitôt.

— Salut, Liv, ma puce ! Je ne t'avais pas entendue décrocher.

— Va savoir pourquoi… Alors, quoi de neuf ?

— Ben, je viens te chercher, là, en fait.

— Tu viens me chercher ? Pourquoi est-ce que tu viens me chercher ?

Un frisson parcourt ma nuque. Si Ginger passe me prendre, c'est que quelque chose ne va pas.

— Parce que ta caisse t'a lâchée, non ?

— Euh… oui. Mais comment est-ce que tu sais ça ?

—Tu as demandé à ce que quelqu'un t'accompagne à Salt Springs la dernière fois, non ?

Nash.

—Ah, oui, mais tout a été réglé depuis.

—Honnêtement, Liv, j'ai peur pour ta vie si tu continues à conduire ce pot de yaourt. Quand un tacot multiplie les tumeurs, il faut le piquer. Tu fais dans le Münchausen par procuration ou quoi ?

—Le Münchausen par procuration ?

—Oui, tu sais, le truc où tu pourris la vie de ta famille et de tes proches pour attirer l'attention.

—Je sais ce que c'est que Münchausen, Ginger, je ne m'attendais juste pas à ce que tu en aies déjà entendu parler…

Un sourire plein de fierté illumine sa voix.

—J'ai vu un reportage là-dessus sur Discovery Channel !

—Toi, tu regardais Discovery Channel ?

—Oui.

—Euh… Pourquoi ça ?

—J'ai paumé ma télécommande.

—Tu as perdu ta télécommande ?

—Oui. On continue la séance perroquet ou on passe à autre chose ?

—Si tu continues à me sortir des trucs aussi improbables, on en a encore pour un moment, oui.

—Qu'est-ce que j'ai dit de si improbable ?

—Que je fais peut-être dans le Münchausen par procuration, grâce à ma voiture. Que tu as appris quelque chose sur Discovery Channel. Que tu es restée assise devant un documentaire sur le syndrome en question parce que tu avais perdu ta télécommande… Merde, Ginger, comment est-ce que tu peux paumer une télécommande dans une maison tout juste assez grande pour pouvoir tenir dedans ?

—Elle était dans le congélo. J'ai dû l'y foutre en récupérant la vodka.

— Logique, dis-je, sarcastique.

— Bon, le froid, ça conserve, c'est déjà ça, plaisante-t-elle d'une voix rauque.

— Je peux te poser une question, Ginger ? je lui demande d'une voix calme.

— Bien sûr, ma puce. Qu'y a-t-il ?

— Pourquoi est-ce que tu passes me prendre, au juste ?

Parfois, Ginger a besoin qu'on la remette en place. D'ailleurs, j'en ai tout autant besoin qu'elle, lorsque je la côtoie trop longtemps.

— Oh, merde ! Oui, bien sûr ! C'est ton père, il s'est cassé la jambe. Il m'a fait promettre de ne pas t'en parler, mais bon… Enfin, bref…

— Il s'est cassé la jambe ? Quand ça ?

— Avant-hier.

— Avant-hier ? Et je ne suis au courant que maintenant ?

Je dois redoubler d'efforts pour ne pas m'emporter. Je suis hors de moi d'apprendre la nouvelle aussi tardivement.

— Je ne comptais même pas te le dire. Il me l'a fait promettre ! Mais bon, quand j'ai entendu Tad raconter qu'il l'avait vu à l'hôpital et que ton père avait dit se préparer à l'arrivée de nouveaux agneaux, je me suis dit que tu aimerais être au courant. En gros, il faut que quelqu'un qui s'y connaît s'en charge un jour ou deux, le temps que les chiards se pointent.

— En gros, sans les agneaux, je n'aurais jamais su qu'il avait eu un accident ?

J'enrage de plus belle.

— Écoute, m'interpelle Ginger d'une voix calme, sentant l'éruption proche. Ton imbécile de père a fait promettre à tout le monde de ne rien te dire. Il ne voulait pas que tu te sentes obligée de faire le chemin jusque chez vous, ni même que tu passes la moindre seconde à t'inquiéter.

Je pince la peau entre mes deux yeux, espérant calmer la migraine qui menace, et me retiens de libérer les injures et les commentaires acides qui pèsent sur le bout de ma langue.

—Tu es loin?

—Je suis à dix minutes.

—Je suis encore à la fac.

—Pas de problème. Indique-moi juste comment on y va.

Je soupire. Fort. Essayer d'indiquer une adresse à Ginger et espérer qu'elle parvienne à s'y rendre revient à jeter un couteau en l'air : c'est stupide et dangereux à tel point que quelqu'un risque de finir à l'hôpital. Plus d'une fois, elle nous a conduits dans des endroits où la seule idée de descendre du véhicule nous faisait perdre trois ans d'espérance de vie, et où nul ne pouvait s'aventurer sans s'assurer les services d'un sumo et de deux ninjas.

Mais pour l'heure, est-ce que j'ai vraiment le choix? Je me sentirais gênée de faire appel à Cash ou Nash. Je pourrais toujours user du super pouvoir que j'ai entre les jambes pour me tirer d'affaire, mais celui-ci ne fonctionne que sur les hommes avec lesquels j'ai déjà couché. Or, comme je n'ai toujours pas la moindre idée de quel frangin s'est rué tête la première dans ma culotte la nuit dernière, je peux oublier ma panoplie de Wonderwoman du sexe.

J'indique à Ginger comment se rendre sur le campus, au centre étudiant. Au moins, je pourrai l'attendre devant un verre.

Dès que j'ai raccroché, j'appelle Cash pour lui dire que je ne pourrai pas me présenter à l'*Hypnos Club* ce week-end.

—Je suis navrée, mais c'est une urgence familiale.

—Je comprends. Tu veux que je vienne te chercher?

—C'est gentil, mais mon amie Ginger est en chemin.

Il marque une longue pause.

—Où que tu aies besoin de te rendre, je peux jouer les taxis, tu sais?

—C'est vraiment adorable, mais elle était déjà en route quand elle m'a appelée.

—Hmm…, se contente-t-il de dire.

—Quoi qu'il en soit, merci pour… Merci pour tout. Je te promets que je m'occuperai de ma voiture dès mon retour. Et je

177

signe déjà pour autant de soirées que nécessaire à l'Hypnos Club pour rattraper le coup.

Je frémis à l'idée de perdre mon nouveau boulot et de devoir ramper aux pieds de Tad pour récupérer le dernier, mais… C'est mon père et…

— Eh, ne te bile pas! On va s'arranger. Tu ne perdras pas ton taf à l'*Hypnos Club* pour si peu, si c'est ce qui t'inquiète.

Je ferme les yeux, rassurée, et mon pouls se calme peu à peu.

— Merci de te montrer aussi compréhensif.

Je ne pourrais insuffler plus de sincérité dans ma voix.

— Je vais réfléchir à la meilleure façon pour toi de me remercier… Mais je vais trouver, je ne suis pas inquiet.

Le commentaire est déplacé, mais ça ne l'empêche pas de sourire à l'autre bout du fil. Il me cherche…

— Reste à savoir si tu vas être capable de trouver quelque chose qui ne m'oblige pas à retirer mes vêtements.

Je joue avec le feu, et j'en ai pleinement conscience.

— Bien sûr! Mets une culotte fendue et tu n'auras pas à retirer le moindre bout de tissu!

Un frisson me parcourt l'échine, puis se propage jusqu'au bas de mon ventre. Je ris, gênée par l'allusion. À ce jeu-là, il me bat à plates coutures…

Comprenant que la situation est délicate, il s'esclaffe et change de sujet.

— Gère ce que tu as à gérer, prends ton temps, et appelle-moi si tu as besoin de quoi que ce soit.

— C'est noté. Merci, Cash…

Mon téléphone raccroché, je file acheter à boire chez le vendeur de tacos du centre, puis sors m'asseoir sur un banc où j'attends impatiemment Ginger. Je me demande si je devrais ou non appeler Nash, histoire de lui dire que je ne serai pas là de tout le week-end. Peut-être qu'il voudra veiller sur la maison en mon absence…

En tout cas, c'est ce que je me dis, histoire de trouver une bonne raison de l'appeler.

—Nash ? C'est Olivia, dis-je lorsqu'il décroche.

Il rit doucement.

—Je te reconnaîtrais entre mille, Olivia. Pas la peine de te présenter.

Je sens mes joues rougir, et suis soulagée que Nash ne puisse pas me voir.

—Oh, pardon, désolée…, je bafouille, avant de me racler la gorge. C'était juste pour te dire que je vais m'absenter ce week-end. Je préfère te prévenir au cas où quelqu'un aurait besoin d'un truc.

OK, Olivia, tu viens de formuler la réplique la plus pathétique de l'histoire de l'humanité…

—OK, merci de m'avoir prévenu… Mon frère est trop étouffant, c'est ça ? Tu essaies déjà de le fuir ?

Je sais qu'il plaisante, mais le fait qu'il dise du mal de Cash me dérange.

—Il n'a rien d'étouffant, et je n'ai aucune raison de le fuir. Je dois rentrer chez moi pour le week-end, rien de plus.

—Tout va bien ?

Il semble inquiet, tout à coup.

—Oui. Mon père s'est cassé la jambe, c'est tout. Il va bien, mais des brebis vont mettre bas et, comme il est à l'hôpital, il ne peut pas aller voir si tout va bien…

—Et tu vas pouvoir te débrouiller ? Tu as besoin d'aide, peut-être ?

—Merci, mais, j'ai grandi à la ferme. Ça fait un bail que je sais gérer ce genre de trucs toute seule. Pas de problème… Merci beaucoup, en tout cas, c'est adorable…

Tu ne peux pas essayer d'être un peu plus égoïste, Nash ? Merde !

—En tout cas, si tu as besoin de moi, tu as mon numéro.

—Merci, mais même si j'avais besoin de ton aide, je doute de parvenir à t'embêter avec ce genre de choses.

—Olivia, je t'en prie.

Sa façon de prononcer mon prénom me remue les entrailles. Elle me rappelle étrangement cette nuit… Seraient-ce ses lèvres que j'ai embrassées ? Sa peau que j'ai caressée ?

—Si tu as besoin d'aide pour quoi que ce soit, je veux le savoir. Tu n'as qu'à demander.

—OK, je le ferai, dis-je, le souffle court.

Trop court pour pouvoir argumenter, en tout cas.

—Super. Je garderai un œil sur la maison en ton absence. Fais-moi signe à ton retour.

—Je n'y manquerai pas. Merci, Nash.

—Je t'en prie.

Tandis que j'attends Ginger, comme à leur habitude, l'image des frères jumeaux sème la déroute dans mon esprit. Je me demande quand tout va finir par devenir plus simple avec eux… Si seulement cela le devient un jour.

Je suis encore perdue dans mes pensées lorsque j'entends un coup de klaxon suivi d'une voix qui beugle mon prénom à pleins poumons.

Ginger.

—Impossible…

Je me dirige vers elle: calée dans le siège conducteur, elle empoigne le plafonnier. Lorsque j'arrive devant elle, elle m'adresse un sourire dément. On dirait qu'elle vient de s'évader d'un asile.

—Je parie que tu croyais que j'allais me perdre!

Je n'émets aucun commentaire. En réalité, j'aurais mis ma main à couper qu'elle allait se perdre…

Mais, de toute évidence, je me serais trompée. Remarque, si mon erreur m'avait valu de me faire couper la main, j'aurais adoré que mon visiteur mystère en fasse bon usage.

OK, Liv, on se reprend!

Ginger ne tarde pas à aborder un sujet capital à ses yeux.

—Alors? Tu as trouvé queue à ta chatte?

—Ginger!

—Olivia! Tu as intérêt à avoir du nouveau pour moi! Et des détails croustillants! Ça fait un bail que ta cougar préférée a été privée de quenelle.

—J'y crois, tiens! C'est quoi un bail pour toi? Une semaine?

180

Elle me lance un regard horrifié.

— Tu débloques ou quoi, ma belle ? Ça fait quatre jours ! Mais, qu'est-ce que tu veux ? J'ai des besoins, moi !

— Ginger, je suis sûr que tu t'es échappée de la pellicule de *Freaks*.

— Et maintenant, le monde est à moi, bébé !

J'éclate de rire. Ginger ne connaît pas la demi-mesure, et jamais elle n'essaie de dissimuler ce qu'elle est et ce qu'elle aime. Elle exhibe avec fierté le moindre de ses boutons. Et le pire, c'est que, sur elle, ils en paraissent presque beaux.

— Tu crèverais d'ennui dans mon corps, Ginger.

— Du tout ! Je bougerais mes jeunes miches dans une boîte et je mettrais un peu de piment dans ma vie. De gros piments, si tu vois ce que je veux dire…

Je lève les yeux au ciel.

— Je n'en doute pas une seule seconde. Avec toi au contrôle, le grand Atlanta aurait été mien.

— Ça, tu en aurais brisé des cœurs ! Et en grande pompe ! Et quand je dis « pompe »…

— Je vois parfaitement où tu veux en venir, Ginger !

Je secoue la tête. Elle est incorrigible. Qui plus est, avec toutes les horreurs qu'elle raconte à son sujet, je me demande comment la pire des insultes pourrait l'affecter…

— Bon, et maintenant, revenons à nos moutons et crache le morceau. Tu les as baisés, tes mâles ?

J'ai du mal à dissimuler le sourire qui soulève la commissure de mes lèvres. Manque de bol pour moi, Ginger est une fine observatrice.

Elle pointe un doigt hystérique vers moi.

— Oui ! Tu l'as fait ! Oui ! C'était comment ? À quelle queue va ta préférence ? Et quand est-ce que la recalée va venir me rendre visite ?

— Le problème, Ginger, c'est que… je ne suis pas sûre de savoir avec lequel des deux mecs j'ai couché…

Quand je vois les yeux écarquillés de Ginger, je suis soudain prise d'une envie de disparaître sous mon siège. Ginger, la grande

Ginger, l'inébranlable Ginger… qui aurait cru qu'elle serait un jour choquée par une histoire de cul? Le fait que ce soit la mienne qui la trouble à ce point me semble de très mauvais augure.

—Comment c'est possible?

Je lui raconte toute l'histoire. Enfin, la version courte, édulcorée, bien sûr. Une fois mon récit terminé, elle éclate de rire. À s'en décrocher la mâchoire.

—Bon, eh bien, tu sais ce qu'il te reste à faire, n'est-ce pas?

—Hors de question que je leur pose la question, si c'est ce que tu comptes me suggérer.

—Ce n'était certainement pas mon idée, ma belle! Parce que tout ce qu'il te reste à faire, maintenant, ma puce, c'est de coucher avec les deux! C'est le seul moyen de savoir lequel des deux est doté de la Sainte Langue Enchantée!

Ginger se tourne vers moi et m'adresse un sourire d'une perversion inqualifiable.

—Pauvre petite Olivia, obligée de se faire dilater la foufoune par deux jumeaux ultrasexy! Non, pitié! Au secours! Tout, mais pas ça!

—Si ce n'était que ça, ça irait, mais… Je ne sais pas, je ne peux pas… Je…

Le fait d'être en train de me torturer les ongles ne m'empêche pas de voir Ginger m'observer du coin de l'œil.

—Ce n'est pas à cause de ce trou du cul de Gab, au moins?

—Tu sais très bien que Gab n'a rien à voir là-dedans…

—Mon cul, oui! Liv, il faut que tu passes à autre chose, merde! Ce n'est pas parce qu'un type se sape, bouge, marche ou pisse comme Gab que c'est le même genre d'enfoiré! De la même façon, d'ailleurs, ce n'est pas parce qu'un type ne se sape pas, ne bouge pas, ne marche pas ou ne pisse pas comme Gab que ce n'est pas le même genre d'enfoiré! L'habit ne fait pas le moine, Liv: toutes les bures ne cachent pas un blaireau aux couilles plus petites que le pois chiche qu'il a dans le crâne! Tu ne peux pas t'arrêter de vivre à la première cicatrice!

Je repense à ma décision récente de tenter le coup avec Cash, mais je ne peux m'empêcher de penser à combien Nash s'est montré bienveillant et compréhensif au téléphone. Si Ginger a raison, quelle que soit leur apparence, l'un ou l'autre pourrait bien n'être qu'un avatar de l'ignoble Gab… Mais comment savoir lequel?

À moins qu'ils le soient tous les deux.

Suis ton instinct. Reste en terrain connu. Nash est un type bien, Cash est un bad boy. L'avantage des bad boys, c'est que, vu leur niveau de morale, leurs frasques ne nous surprennent jamais totalement.

Nash est pris.

Cash non.

Nash ne m'a rien offert, jusqu'ici.

Cash me promet d'être honnête avec moi et se donne à fond pour moi.

Mais, cela vaut-il seulement la peine d'avoir l'un d'eux dans ma vie? Ne devrais-je pas plutôt leur tourner le dos et fuir?

Me sentant mal à l'aise, Ginger change de sujet et se lance dans une discussion moins contrariante: les sextoys.

Ah, sacrée Ginger…

Lorsque j'entre chez moi et vois un lit d'hôpital dans le salon, mon cœur s'effondre. Mais, très vite, j'aperçois mon père, assis dans son vieux fauteuil relaxe vert favori, sa jambe plâtrée posée sur un coussin. Le plâtre, contrairement à ce à quoi je m'attendais, n'a pas été posé entre la cheville et le genou, mais sur la cuisse, jusqu'à la hanche.

Mon père s'est fracturé le fémur, et personne ne me l'a dit…

Putain de merde!

Je laisse tomber mes sacs sur le sol, file droit vers mon père et me plante devant lui, les mains sur les hanches et l'air furieusement indignée.

—Tu n'aurais pas pu m'appeler pour me prévenir? Il a fallu que je l'apprenne deux jours plus tard! De Ginger, en plus!

Je lis dans ses yeux noisette qu'il passe en mode agneau. C'est ce désir systématique d'éviter toute confrontation qui a fini par pousser ma mère à aller voir plus loin si l'herbe, en sus d'être plus verte, n'était pas également plus gaillarde. Et plus riche… Et plus brillante, aussi… Enfin, en gros, n'importe quelle autre herbe que celle qu'elle avait l'habitude de paître.

Vache à merde!

Quoi qu'il en soit, ces arguments sont souvent les seules branches qui me retiennent de sombrer dans un gouffre de haine insondable à son égard.

— Dis donc, Canaille, commence-t-il en m'appelant par le surnom qu'il me donne depuis que je suis petite et qui, il le sait, m'attendrit comme par magie. Tu sais que je ne te cache des choses que pour te préserver. Tu as déjà bien trop à penser avec ton nouveau boulot, ta dernière année d'études et ta cohabitation avec ta cousine pour que j'en rajoute une couche. Essaie de te mettre à la place d'un père qui veut le bien de sa fille, achève-t-il d'une voix douce.

Lorsqu'il se comporte ainsi, il est tout bonnement impossible de lui en vouloir… Et je dois avouer que c'est parfois très frustrant.

Je m'agenouille à ses pieds.

— Tu aurais dû m'appeler, papa.

— Tu n'aurais pas pu faire grand-chose, Liv, tu sais. À part t'inquiéter, peut-être… Et maintenant, tu sèches le boulot par ma faute.

— Ce n'est pas grave. Ginger m'a parlé des agneaux. Je vais m'en occuper, et en moins de temps qu'il n'en faut pour le dire, je serai de retour au boulot.

Il ferme les yeux et penche la tête en arrière en soupirant, dépité. L'espace de quelques secondes, il reste silencieux, mettant un terme à la discussion.

Une autre de ces fâcheuses manies. Il s'arrête : de parler, d'écouter… De tout.

Il s'arrête.

Ses tempes sont plus grisonnantes que la dernière fois que je l'ai vu ; les rides qui encadrent ses lèvres plus profondes. Il fait tellement plus que ses quarante-six ans… Sa vie, éreintante et décevante sous bien des aspects, l'a usé plus que de raison. Cela se devine maintenant sur son visage.

— Je peux faire quelque chose pour t'aider, papa ? Maintenant que je suis ici, autant que je te donne un coup de main. Tout va bien niveau compta ?

Il répond sans tourner le regard vers moi.

— Pas de souci particulier. Jolène est venue m'aider une fois ou deux pour tenir correctement les comptes en ton absence.

Je serre les dents. Jolène se prend pour une comptable fiable, mais elle ne l'est pas pour un sou, voire pour un demi, et je suis sûre qu'il va falloir repasser derrière son boulot. Plutôt que d'enfoncer le clou, je change de sujet.

— Et la maison ? Tu as besoin que je fasse un peu de bricolage ou de ménage ?

Il lève enfin la tête et me regarde. Il a l'air contrarié.

— Je suis un grand garçon, Liv. Je peux m'en sortir au quotidien sans être à la charge de ma fille.

Je lève les yeux au ciel.

— Je sais bien, papa. Je n'ai jamais prétendu le contraire, et tu le sais très bien…

Il tend un bras et tire gentiment sur une de mes mèches de cheveux, comme il le faisait quand j'étais enfant.

— Je sais bien ce que tu voulais dire… Je sais aussi que tu penses qu'il est de ton devoir de t'occuper de moi depuis le départ de ta mère. Mais tu te trompes, ma puce. Je crois que si tu mettais ta vie entre parenthèses pour revenir à la ferme, je n'y survivrais pas. Va trouver ton bonheur loin d'ici. Ça, ça me rendrait heureux…

— Mais, papa, je n…

— Je te connais, Olivia Renée. Je t'ai élevée, tu te rappelles ? Je sais ce qui se passe dans ta petite tête, et je te prie de ne rien en faire. Laisse-moi à ma vie, et va chercher ce que la tienne a à t'offrir. Plus de lumière, plus de beauté que tu en trouveras ici.

— Papa, j'aime cette ferme, j'aime nos moutons, et tu le sais.

—Je n'ai jamais dit le contraire. Et si l'envie te prend de venir nous rendre visite, à moi et à mes moutons, tu seras toujours la bienvenue. Qui plus est, lorsque je ne serai plus là, ce sera à toi de décider ce que tu veux faire de cette ferme et de nos petits amis. Mais pour l'heure, tout ceci m'appartient : ce sont mes moutons, ma ferme, ma vie, mes problèmes… Pas les tiens. Réussir tes examens et trouver un bon boulot qui te permette de gagner assez d'argent pour racheter cette ferme, voilà ce dont tu devrais te préoccuper. Dans ce cas, j'envisagerai peut-être de te laisser te réinstaller ici. Qu'est-ce que tu en dis ?

Je vois clair dans son jeu. Je sais où il veut en venir… Je le comprends et je respecte le fait qu'il culpabilise. Toutefois, lorsque j'acquiesce à son adresse, c'est uniquement pour le rassurer. Ce qu'il ignore, c'est que, contrairement à ma mère, jamais je ne l'abandonnerai. Jamais. Jamais je ne privilégierai ma petite vie aux dépens des gens que j'aime.

Jamais.

—Bon, cela dit, puisque tu es ici, j'aurais une ou deux faveurs à te demander.

—Je t'écoute.

—J'ai un stock de fayots dans la cuisine. Tu pourrais en préparer pour le souper ?

—Je ne te priverais pas de ton plat préféré : ce sera fait.

—Tu es un amour.

Il me sourit quelques secondes, puis se retourne vers le poste de télévision.

—Papa ?

—Oui ? me questionne-t-il en se retournant, l'air interrogateur.

—Ta deuxième faveur ?

Il fronce les sourcils, puis son visage s'éclaircit.

—Ah oui ! Ça me revient : Ginger et Tad t'attendent ce soir pour ton pot de départ. Un peu tardif, mais bon…

Je secoue la tête.

—Hors de question que je te laisse pour aller à…

— Ben tiens! Il y a un match ce soir, et j'aimerais le regarder tranquille pendant que tu rigoles avec tes amis. Une bonne petite fille ne peut-elle pas accorder cette simple faveur à son vieux père infirme?

Je pouffe.

— Comment puis-je refuser si tu présentes les choses comme ça?

Une fois encore, je devine sans mal son intention. Sa motivation, aussi. Toutefois, je lui accorde sans broncher la faveur demandée, en grande partie parce qu'il n'a pas menti sur une chose: vu comme il aime le football américain, il a probablement envie de regarder son match sans que je vérifie sa pression artérielle dès qu'il se met à hurler devant l'écran.

C'est avec le sourire qu'il se tourne vers la télévision et, cette fois, je me lève et file dans la cuisine m'occuper du dîner.

Lorsque je passe la porte de chez Tad, je suis accueillie par des sifflements balourds qui me poussent à baisser les yeux vers ma jupe. C'est le désavantage de ne pas avoir le temps de préparer ses affaires correctement: on est obligé de faire avec ce qu'on a. En l'occurrence, des vêtements, trouvés dans une armoire, que je n'ai pas mis depuis deux ans, peut-être.

Ma jupe noire est bien trop courte, et je n'avais pas souvenir que le tee-shirt qui l'accompagne, en plus d'être particulièrement moulant, dénudait à ce point mon ventre... Si je n'avais pas été majeure, papa ne m'aurait probablement jamais laissée sortir avant que je me sois changée. Malheureusement pour moi, c'était soit ça, soit un pantalon de yoga ou un short en jean plein de peinture...

Très vite, l'environnement familier me met à l'aise. L'alcool coule à flots, et l'humeur est à la fête plus encore qu'à l'accoutumée. Bien vite, la tête commence à me tourner, m'indiquant qu'il pourrait être sage de ralentir un peu sur la boisson.

Je suis en train de me marrer avec Ginger – qui a pris sa soirée pour profiter de l'occasion avec moi de l'autre côté du comptoir –, lorsque la porte du bar s'ouvre… Mon cœur a un raté lorsque je reconnais mon ex, Gab, en compagnie de sa petite amie.

Il n'a pas changé d'un pouce : terriblement canon avec ses cheveux de jais, ses yeux bleu clair et son sourire à dévoyer une nonne. De la même façon, il porte en étendard ses indécrottables défauts : une fille à son bras et des yeux qui s'aventurent partout. Il n'essaie même pas de dissimuler les regards qu'il jette aux autres femmes. Et Tina, ce doux agneau, fait mine de ne rien voir. Quelle belle image du couple !

Ayant remarqué mon silence et ma bouche entrouverte, Ginger se retourne pour regarder.

— Par tous les saints, qui a laissé rentrer cet enfoiré ?

Elle se retourne et commence à se laisser glisser au bas de son tabouret de bar, bien décidée à remettre de l'ordre dans la situation. D'un bras tendu, je l'empêche de se lever.

— Laisse tomber, Ginger. Ça n'en vaut pas la peine.

En vérité, j'adorerais la voir lui botter les miches, mais je n'en ressortirais que plus pathétique. Aussi, la meilleure solution semble être de me soûler jusqu'à ce que la seule pensée de ce salaud se noie dans mon trop-plein d'alcool.

Je fais signe à Tad – qui, chose rare, bosse au bar, ce soir, pour couvrir l'absence de Ginger –, et lui demande de nous servir une nouvelle tournée. Rien de tel qu'une bonne murge pour oublier. Or, l'oubli me semble une échappatoire assez séduisante, à cet instant précis.

Ginger et moi trinquons et vidons nos verres d'une traite. La vague de quarante degrés brûle ma trachée jusqu'à mon estomac qu'elle embrase aussitôt. Ginger est en proie à une quinte de toux, et je peine à réprimer un fou rire… Pour autant, je ne peux empêcher mon regard de balayer la salle à la recherche de Gab.

Lorsque je le localise, c'est pour le trouver assis à une table haute. Sa copine est à ses côtés, mais ça ne l'empêche pas de poser les yeux sur moi. J'y lis aussitôt, premièrement, qu'il me reconnaît, deuxièmement sa voracité habituelle. De mon côté, je réagis comme à mon habitude lorsque son regard se braque sur moi… mais mon trouble cesse aussitôt lorsque la réalité m'offre une douche glaciale en m'imposant la vision de la fille qui a pris ma place à ses côtés.

J'ai écouté ses mensonges des mois durant, tombant chaque jour plus amoureuse de lui, alors qu'il avait déjà une petite amie qu'il n'avait pas la moindre intention de quitter. Le pire dans cette histoire, c'est qu'ils ont un fils, tous les deux. Il me semble qu'en théorie, cela s'appelle une famille. Or, même s'il n'a jamais abandonné sa femme pour moi, il m'a toujours fait passer pour une briseuse de couple. Il m'a contrainte à marcher dans les pas de ma mère. Rien que pour ça, je ne pourrai jamais lui pardonner.

J'essaie de profiter du reste de la soirée, de la fête qu'ont organisée pour moi mes amis et anciens collègues, mais mon humeur s'assombrit de plus en plus. Chaque verre, chaque rire semblent ternis par la présence d'un de ces bad boys au charme desquels j'ai succombé…

Ginger nous commande une autre tournée de *shooters* que j'accepte avec joie, même si j'ai pleinement conscience de repousser dangereusement mes limites. Sous les acclamations et les encouragements de nos amis, nous les avalons cul sec. L'alcool commence tout juste à user mon amertume lorsqu'un nouveau visiteur attire mon attention.

Cash vient d'entrer chez Tad.

24

CASH

Ce que je découvre en entrant dans le bar ne me surprend pas. Le décor est on ne peut plus classique : une dizaine de postes de télé sur les murs et des tables au centre pour leur faire face. Le bar est sur ma droite et, un peu plus loin, sont installées quatre tables de billard coiffées de lumières portant le logo *Budweiser*. Derrière les tables, une petite piste de danse.

Il ne me faut qu'une seconde ou deux pour localiser Olivia : elle attire mes yeux comme un aimant. Dès que je pose mon regard sur elle, je suis sûr de deux choses : premièrement, si elle continue à boire comme elle le fait, elle sera bientôt ivre morte ; deuxièmement, sa jupe sera relevée à sa taille avant l'aube.

Lorsqu'elle m'aperçoit, je lis dans ses yeux une certaine réticence. Ce n'est pas la première fois, mais je pensais que nous avions dépassé ce stade. Je me demande ce qui a pu se passer depuis ce matin pour qu'elle se montre moins disposée à mon égard.

Je jurerais bien, mais je serre les dents et m'en abstiens, désireux de garder l'air le plus neutre possible en avançant vers elle. Lorsque je m'arrête à côté d'elle, elle se redresse et lève légèrement le menton. Elle est sur la défensive… Et prête à se battre.

Bien que l'accueil me frustre quelque peu, sa réaction inattendue m'excite : elle me donne envie de la pousser à me désirer malgré toutes les raisons qui l'incitent à se l'interdire.

Et c'est exactement ce que je vais faire.

Une fois de plus.

—Je t'aurais bien proposé de t'offrir un verre, mais j'ai l'impression que tu as déjà dépassé le seuil critique.

—J'ai déjà un papa, merci. D'ailleurs, il est chez lui à soigner sa jambe cassée, lâche-t-elle d'un ton légèrement agressif.

—Je ne voulais pas te froisser. Je constatais, juste…

Je fais signe au barman qui m'adresse un regard pour le moins hostile.

—Jack Daniels. Sec.

Je suis sur son territoire, désormais. Ses amis sont là, et ils me semblent particulièrement protecteurs avec elle. Ce que je ne comprends pas, c'est qu'ils semblent vouloir la protéger de moi, alors qu'ils ne savent absolument pas qui je suis.

OK, donc, ça confirme qu'elle a vraiment un faible pour un type bien particulier de mecs. Et tous ses amis semblent être au courant.

Le fait que ses amis et elle m'aient catalogué ainsi me fout en rogne comme pas possible. Je ne déteste rien de plus que d'être jugé sur des a priori. Personne ici ne sait qui je suis vraiment ; Olivia la première.

J'aimerais assez découvrir sa réaction si elle apprenait toute l'histoire. Si elle connaissait la vérité. Il me suffirait de quelques phrases pour lui donner toutes les raisons du monde de me fuir aussi vite et aussi loin qu'elle le peut. Mais je ne le ferai pas. Parce que je me sens plus égoïste que jamais. Je ne veux pas qu'elle disparaisse : elle ne m'a pas encore tout donné.

Loin de là, même.

Lorsque le serveur dépose un verre en face de moi, je lui glisse un billet de dix et descends ma boisson d'une traite. D'un hochement de tête, j'en commande un deuxième et repousse mon verre vide un peu plus loin sur le comptoir.

Tandis que j'attends d'être servi, je mets un point d'honneur à ne pas me tourner vers Olivia. Lorsqu'elle parle enfin, je réprime de justesse un sourire. Je voulais qu'elle fasse le premier pas, et elle l'a fait.

— Qu'est-ce que tu fais ici ? me demande-t-elle, quittant son tabouret pour venir se poster à mes côtés.

Je me demande si elle a davantage l'impression de dominer la situation en se tenant debout.

À moins que cela ne la sécurise en lui donnant l'impression qu'elle pourrait fuir plus facilement. Fuir à toutes jambes.

— Je me suis dit que tu aurais peut-être besoin d'aide, alors je suis venu.

Avant de se retourner vers moi, je la vois jeter un coup d'œil furtif sur sa droite.

— Comment est-ce que tu as su où j'étais ?

— Mon frère.

— Non, je veux dire ici, pas à la ferme.

— Ton père.

— Tu es allé… chez moi ?

De toute évidence, cela la perturbe.

— Oui. Ça te gêne ? Les visiteurs ne sont pas les bienvenus dans ta retraite secrète ?

J'observe avec une certaine fascination la colère crisper ses muscles. Elle cale ses poings sur ses hanches. Elle est furieuse.

— Ça ne t'est pas venu à l'esprit que tu aurais peut-être dû attendre d'y être invité ?

— Si j'avais été invité, je t'aurais aidée en remerciement de ton hospitalité. Là, je voulais jouer les chevaliers volontaires.

Même énervée et concernée par ma présence, je la vois jeter un deuxième coup d'œil furtif en direction d'une table, sur sa droite. Je suis son regard et remarque un type assis à côté d'une fille sans saveur. La façon dont il regarde Olivia ne laisse aucun doute sur le fait qu'ils se connaissent. Très bien, même.

Je fais un pas vers Olivia et me penche vers elle, le plus calmement possible.

— C'est lui ?

Elle tourne sa tête vivement dans ma direction, un masque de culpabilité et de colère sur le visage.

—Comment ça, «c'est lui»? De quoi tu parles?

—Allez, pas de ça, s'il te plaît… C'est ton dernier bad boy, c'est ça?

Je me retourne une fois encore vers le crétin qui, sans le savoir, me rend la tâche un peu plus compliquée que je l'avais prévue.

—Il s'est bien remis de sa rencontre avec la bétonnière, dis-moi… Tu veux que je lui botte le cul?

Je me retourne vers Olivia. Une parade d'émotions défile sur son visage: de la confusion, de l'agacement, puis, enfin, un sourire.

—Non, je ne veux pas que tu lui bottes le cul.

—Tu es sûre? Parce que je suis un spécialiste en matière de déconnardisation.

Elle sourit encore.

—La déconnardisation?

—Ouaip. C'est comme la dératisation, mais pour les connards.

—Je te remercie de la proposition, mais ça n'en vaut pas la peine.

Je tends la main et repousse l'une de ses boucles brunes derrière son oreille.

—S'il te fait du mal, ça en vaut la peine.

Je doute qu'Olivia se rende compte de combien son visage est expressif. Pour moi, il est clair comme de l'eau de roche que je la trouble, que je lui plais et qu'elle ne s'opposerait probablement pas à ce que je la déshabille et explore son corps de la tête au pied avec ma langue, et ce, même si cela va à l'encontre de ce qu'elle estime être la bonne chose à faire. Mais ce que je vois également sur son visage, c'est qu'elle ne veut pas ressentir tout cela. Elle veut rester ambivalente, détachée; imperméable à ce que je dégage. Le souci pour elle, c'est qu'elle ne l'est pas, et qu'elle finira par céder.

Je reconnais la chanson que joue la sono. Personne n'entendra jamais «Ho Hey» à l'*Hypnos Club* – parce que c'est une boîte de nuit, pas un bar –, mais le titre me plaît assez. Les paroles font même naître chez moi un certain sentimentalisme à l'égard de l'indécise Olivia…

— Allez, viens, dis-je en tendant une main à Olivia. Allons chauffer la piste.

Je tends mon autre main à son amie, la femme qui me regarde depuis mon arrivée comme si j'étais son quatre heures.

— Cash, l'employeur d'Olivia. Tu danses avec nous ?

— Ginger, annonce-t-elle, tout sourires.

Elle glisse ses doigts dans ma main sans opposer la moindre résistance.

Tandis que je guide les filles vers la piste de danse, Ginger attire l'attention de la plèbe, ce qui va pleinement jouer en ma faveur dans quelques minutes…

— Allez, tout le monde ! Offrons à Liv une danse d'adieu qu'elle n'est pas près d'oublier !

En l'espace de quelques secondes, une vingtaine de fans d'Olivia nous encerclent sur la piste, chantant à tue-tête et la gratifiant d'innombrables sourires, accolades et autres marques d'attention. Son visage commence à reprendre des couleurs, et son anxiété semble s'estomper.

Elle ne se retourne qu'une seule fois vers l'autre type, et ne semble le faire qu'instinctivement, sans plus y prêter attention, tant elle est occupée à profiter de l'instant que lui offrent les gens autour d'elle…

Et à me dévorer du regard.

Chaque nouveau regard échangé contribue à faire fondre la glace. Elle me rend le sourire que je lui décoche. Lorsque je lui tends la main, elle glisse ses doigts dans ma paume. Enfin, lorsqu'elle se tourne vers moi, c'est comme si, pour l'instant en tout cas, elle avait arrêté de me ranger dans le même sac que le nase qu'elle aurait aimé voir couler dans du béton.

Ses yeux pétillent, maintenant. Elle semble vraiment heureuse et profite de l'instant.

— Merci pour ça. Tu es vraiment un pro de la déconnardisation.

— Ce n'est pas ma façon préférée de gérer les choses, mais si ça te rend heureuse, alors ça me va.

Touchée et timide, elle détourne les yeux, mais son regard me revient rapidement, comme si elle était incapable de résister au magnétisme qui nous attire l'un vers l'autre.

—Eh bien… Cela me rend très heureuse. Très.

—Dans ce cas, finissons-en avec lui, si tu veux bien.

Elle lève un sourcil et sourit. La femme zélée refait surface. Elle se sent tout à coup la force d'affronter le monde entier ; de triompher de tout, y compris de son ex-petit ami.

Elle est prête à sauter le pas. Et je suis prêt à la rattraper.

—Qu'est-ce que tu as en tête, exactement ? me demande-t-elle malicieusement en passant sa langue sur ses lèvres.

Je balaie la pièce du regard et localise les sanitaires. Je me retourne vers Olivia et lui souris, prends ses deux mains, puis, nous éloignant de la foule, la guide vers les toilettes sans la quitter des yeux.

Ses joues sont rouges et ses yeux écarquillés trahissent son excitation. Elle ignore ce que j'ai en tête, mais elle sait qu'elle prend des risques… Et cela n'a pas l'air de la dérouter plus que ça.

Ce qui me fait redoubler d'audace.

Alors que nous marchons, elle tourne résolument le dos à son ex, mais je le vois du coin de l'œil. Il dit quelque chose à la fille qui l'accompagne avant de se lever. Il a l'air d'avoir les boules, et ça me plaît.

Lorsque nous arrivons au petit couloir qui jouxte les toilettes, j'attire Olivia vers moi et l'embrasse. Sa langue est brûlante et docile et, une poignée de secondes plus tard, elle passe ses doigts dans mes cheveux et presse sa poitrine contre mon torse.

J'avais l'intention de l'embrasser sous les yeux de l'autre crétin, mais j'ai bien l'impression qu'elle a totalement oublié son existence.

Et moi aussi.

Là où nous sommes, la musique se fait plus lointaine. Olivia lève un genou et passe une jambe autour de l'une des miennes. D'une main, je caresse la peau douce de son mollet. Elle pose alors une main sur la mienne et la place sur ses hanches. Ravi d'honorer sa demande, je dépose ma paume sur ses fesses parfaites et les masse doucement.

Son gémissement vibre contre ma langue et envoie une vague de plaisir jusqu'à mon bassin, impose à mon sexe un garde-à-vous auquel il se plie avec joie. Ce baiser était censé n'être qu'une provocation, mais maintenant qu'il se charge d'un érotisme insoutenable, je n'arrive plus à penser à quoi que ce soit d'autre que la fille que j'ai dans les bras.

D'une main, j'attrape la poignée derrière moi, ouvre la porte et nous guide à l'intérieur. Nous sommes dans les toilettes des femmes.

Je ferme la porte et attire Olivia vers moi, relevant sa jupe dans le mouvement.

Sa culotte dévoile la majeure partie de ses fesses charnues, et je ne me prive pas de caresser sa peau de pêche de mes paumes impatientes, de laisser courir mes doigts entre elles. Soudain, je presse ses hanches contre les miennes. Je veux qu'elle sache quel effet elle me fait.

Elle halète, sa bouche cramponnée à la mienne, et ses doigts aventureux luttent contre la boucle de ma ceinture.

Pourquoi j'ai mis une ceinture, bordel…

Je l'aide à s'en sortir et, au moment où je m'apprête à empoigner mon matériel, elle repousse ma main, passe ses doigts autour de moi et m'enserre avec envie. À la seconde même où je ne pourrais être plus dur, elle fait glisser sa main jusqu'à mon gland, puis redescend d'un geste habile à la base de mon sexe, sa langue caressant la mienne de ce même mouvement lent et suggestif.

Je saisis son poignet et l'arrête. Olivia lève les yeux vers moi, ses pupilles dilatées par le désir, les pommettes empourprées. Ses lèvres sont rouges, gorgées d'un sang bouillonnant, et je ne pense plus qu'à une chose : les sentir autour de moi…

Mais pas ce soir. Ce soir, c'est à Olivia d'être au centre de l'attention… Olivia la sublime, la sexy, la courageuse, la passionnée… Ce soir, je veux qu'elle voie ce que je vois quand je la regarde.

Je la tourne vers le lavabo, vers le seul miroir de la pièce. Lorsqu'elle croise mon regard dans la glace, elle semble troublée.

— Regarde-toi…, lui dis-je.

Je passe ses longs cheveux par-dessus l'une de ses épaules et dépose un baiser au creux de son cou. Elle penche la tête pour mieux m'offrir sa peau nue.

— Tu es la plus belle femme qu'on puisse trouver ici.

Je passe une main sur son ventre dénudé, puis sous son tee-shirt. Je sens ses tétons durs contre mes paumes. Je les pince à travers le fin tissu de son soutien-gorge, sans jamais la quitter des yeux. Elle écarte les lèvres et gémit…

— Tu es tellement sexy…

Lentement, je masse sa poitrine et cale mon bassin contre ses fesses rebondies.

Mon autre main s'aventure au creux de son ventre. Sa jupe est toujours levée, laissant apparaître le blanc de sa culotte. Mes doigts glissent entre ses cuisses, et je grogne en découvrant le coton délicat imbibé et brûlant.

— N'importe quel homme mourrait pour y avoir droit ne serait-ce qu'une nuit.

D'une caresse délicate, je dégage le coton qui me fait encore obstacle, puis introduis un doigt en elle. Elle ferme les yeux et sa tête bascule en arrière, contre mon épaule.

— Non, je veux que tu regardes. Je veux que tu voies ce que je vois. Je veux qu'on assiste ensemble au moment où tu jouiras pour moi.

Obéissante, elle ouvre les yeux, ses hanches ondoyant contre ma main, ses lèvres entrouvertes par le plaisir. Je me redresse légèrement et caresse son dos. J'appuie délicatement, l'incitant à se pencher en avant, puis, instinctivement, elle pose ses mains de chaque côté du lavabo.

Les yeux toujours rivés sur elle, j'empoigne l'élastique de sa culotte que je baisse jusqu'à ses genoux. Mon sexe effleure l'une de ses fesses, tandis que je passe un doigt dans ma bouche, avant de le glisser entre ses jambes, puis profondément en elle. Elle gémit, et je sens son corps brûlant se tendre autour de mes phalanges.

Je la prends par les hanches, puis introduis mon gland entre ses lèvres, avant de la pénétrer de quelques centimètres à peine. Je réprime un grognement quand je constate combien elle est chaude et humide, comme elle se contracte autour de moi, m'aspire peu à peu en elle.

Elle baisse les yeux comme si elle voulait me voir glisser en elle. Comme je reste immobile, elle me regarde dans le miroir. D'un hochement de tête, je lui indique son reflet et, une fois que je suis sûr qu'elle n'a plus d'yeux que pour elle-même, je la pénètre profondément, sans ménagement.

Elle ouvre grand la bouche et ferme les yeux sous ma saillie, frappée par le plaisir. Je reste en elle sans bouger, savoure son étroitesse, immobile, par crainte de jouir trop vite.

Elle ouvre les yeux et se penche en avant, me libérant presque entièrement, puis, lentement, ses lèvres avides me happent jusqu'au dernier centimètre.

Les mains rivées sur ses hanches, j'imprime un tempo que je sais pouvoir tenir sans venir trop tôt. Sitôt qu'elle a adopté le rythme de notre danse lascive, je passe une main sur son ventre, puis viens caresser du bout des doigts son clitoris tendu, le masse lentement, répondant à ses petits gémissements qui, une fois que j'ai décelé son point faible, se changent en cris de plaisir.

Après quelques minutes à peine, je sens son corps se resserrer autour de moi. Elle va bientôt jouir, je le sens. J'accélère mon rythme, et la caresse de mes doigts se fait plus pressante. Lorsque je sens sa respiration plus erratique, et que ses gémissements résonnent plus fort dans la pièce, je me penche en avant, empoigne ses cheveux, puis tire délicatement sa tête en arrière.

Je murmure à son oreille.

—Je veux que tu te voies jouir sur ma queue, Olivia. Je veux que tu voies à quel point tu es excitante. Que tu comprennes pourquoi je te désire autant.

Sans relâche, je la guide plus avant sur la voie de la volupté, jusqu'à ce qu'elle crie soudain en se mordant la lèvre, tentant de rester discrète malgré l'orgasme qui agite son corps de spasmes puissants.

Je poursuis mon assaut jusqu'à ce qu'à mon tour, je sente l'instant proche, et, lorsque je suis à deux doigts de jouir, je cherche de nouveau ses yeux dans le miroir. Quand je murmure à son oreille, mon pouls est aussi déchaîné que mon souffle est court.

— Tu vois l'effet que tu me fais, Olivia ? Je veux que tu me regardes quand je coulerai le long de tes cuisses.

Mes mots l'excitent, déclenchant un nouvel orgasme. Ses lèvres humides se contractent autour de moi et me poussent vers l'extase. Soudain, mon corps entier se raidit et, grognant, je jouis tout au fond d'elle.

Luttant contre un réflexe instinctif, je ne la quitte pas des yeux. Elle soutient mon regard jusqu'à la dernière seconde.

Alors que je ralentis mon mouvement de va-et-vient, je sens le liquide chaud se répandre en haut de mes cuisses. Je suis sûr qu'elle le sent, elle aussi.

Je plaque enfin mon bassin contre ses fesses. Et elle sourit.

Tu l'as senti, bébé, hein ? Je parie que ça t'a plu…

C'est probablement ma plus belle découverte de la soirée : derrière des apparences timides et sages se cache une authentique dépravée.

Et je vais lui apprendre à tomber le masque…

25

OLIVIA

J'ESSAIE DE ME RENDRE À PEU PRÈS PRÉSENTABLE AVANT DE sortir des toilettes. Cash semble incapable de détacher ses mains de moi. Je sais que je devrais me sentir gênée, coupable et inquiète – et je pense que demain, je n'y couperai pas –, mais pour l'heure, je nage en pleine extase. Jamais de ma vie je n'ai vécu d'expérience sexuelle aussi démentielle, dévastatrice et jouissive.

Quelque part, je me dis qu'au vu de l'instant hallucinant que Cash vient de m'offrir, celui qui m'a fait l'amour l'autre nuit ne peut être que Nash. Cela dit, Cash ne m'a pas demandé si je prenais la pilule, ce qui peut laisser supposer qu'il était déjà au courant… et que c'était donc lui, mon visiteur mystère.

Pour autant, une séance de baise aussi impulsive et insouciante colle parfaitement au caractère de Cash. Un type comme lui part sûrement du principe que si je ne dis rien, c'est que je prends la pilule.

Une fois de plus, y réfléchir ne suscite en moi que davantage de questions. Cela dit, à cet instant précis, tout cela importe peu. Cash s'est emparé de mon esprit comme il vient de s'emparer de mon corps. Je le sens encore contre moi, savoure encore son odeur. Je le sens encore en moi, et j'espère que cette sensation ne me quittera jamais. Il m'obsède, et je l'assume avec plaisir.

Je remets de l'ordre dans mes cheveux, pendant que Cash caresse mon ventre d'une main délicate. Ma culotte est trempée, et s'il continue sur cette voie, je doute qu'elle sèche un jour.

Il passe une main dans mes cheveux, dénude mon cou, puis commence à mordiller la peau de ma nuque.

— On doit vraiment sortir ?

Je ne peux réprimer un petit rire nerveux.

— Je suppose que quelqu'un va finir par avoir besoin des toilettes…

— Que cette personne aille gentiment se faire foutre : il y a d'autres toilettes en face.

J'éclate de rire.

— Où est-ce que tu dors cette nuit ?

Il lève les yeux, et nos regards se croisent dans le miroir.

— Je vais me trouver un hôtel. Pourquoi ? Tu veux venir me rendre visite ?

Par exemple, oui !

Évidemment, je me garde bien de le lui dire. Au lieu de cela, je me retourne et me cale dans ses bras.

— Tu es venu jusqu'ici pour m'aider. Le moins que je puisse faire, c'est t'offrir un toit pour la nuit. Par contre, mon père sera là, donc…

— Donc, on va devoir être discrets…, murmure-t-il en prenant un air des plus comiques.

Je me contente de lui sourire. Je ne confirme pas plus que j'infirme que nous remettrons le couvert tous les deux, mais je sais que ce n'est pas la dernière fois que je le sentirai en moi. En tout cas, il ne lui faudra pas beaucoup d'efforts pour me pousser à la faute.

Sans nous presser, nous nous tournons vers la porte et, après une profonde respiration, je déverrouille le loquet.

— Vas-y d'abord. Je vais attendre quelques minutes, comme ça, on brouille un minimum les pistes, dit-il, bienveillant.

Je souris.

— Je doute que qui que ce soit ait le moindre doute sur ce qui vient de se passer, mais merci quand même de t'en soucier.

Je m'apprête à ouvrir la porte, mais Cash pose une main sur la mienne. Lorsque je me retourne, ses lèvres prennent les miennes d'assaut, les embrasent, et rendent sa proposition de rester un peu plus longtemps dans ces toilettes soudain plus tentante.

Malheureusement, c'est impossible.

La soirée qui suit est sans nul doute l'une des plus agréables dont j'ai profité depuis des lustres. Cash reste près de moi, s'arrange pour établir avec moi, d'une manière ou d'une autre, un contact physique subtil et électrique. Nous partageons d'innombrables sourires et regards entendus qui ressuscitent chaque fois dans mon esprit le souvenir de notre excursion torride dans les toilettes. Cela dit, je suis assez convaincue que ce souvenir sera toujours gravé dans ma mémoire lorsque à cent neuf ans, je chercherai mon dentier sur ma table de nuit. Jamais je n'oublierai cette soirée…

Et l'image troublante de ce miroir dans les toilettes des femmes…

Ni lui ni moi ne succombons trop à l'alcool. Je crois que nous préférons garder l'esprit clair, désireux de savourer pleinement la magie de cette nuit.

Une fois le bar désert, Cash me raccompagne jusqu'à la voiture de Ginger. Je suis pleinement sobre, maintenant – rien de tel que des orgasmes cataclysmiques pour décuver –, et vais pouvoir la raccompagner.

—Je te suis, comme ça, je pourrai te ramener, m'annonce Cash.

J'acquiesce en souriant.

J'ai l'impression d'être incapable de me départir de mon sourire.

Nous nous séparons après un dernier baiser. Je passe tout le trajet jusque chez Ginger à lancer des regards, dans le rétroviseur, au phare unique lancé à ma poursuite.

Et à sourire. Bien sûr.

—Bon, eh bien, je crois que ton choix est clair, Liv…, fait remarquer Ginger, affalée sur le siège passager.

Je sursaute. Nous sommes à quelques dizaines de mètres de chez elle, et c'est la première phrase qu'elle prononce depuis notre départ. Pour tout dire, je pensais qu'elle était tombée dans les pommes.

— Pourquoi tu dis ça ?

— Parce que c'est un bad boy, et qu'on sait toutes les deux à qui va ta préférence.

Sitôt la pique envoyée, sa tête molle bascule sur le côté.

Elle a raison : je choisis systématiquement le bad boy, c'est plus fort que moi. Et chaque fois, je finis par le regretter. Est-ce que je commets la même erreur avec Cash ?

La question me hante de la seconde à laquelle je dépose Ginger chez elle à l'instant où, après notre retour en moto, je guide Cash jusqu'à sa chambre. Je l'embrasse sans conviction et m'apprête à rejoindre mon lit, lorsqu'il pose une main sur mon épaule.

— Ça va ? murmure-t-il.

Il doit se demander pourquoi je vais me coucher sans lui. Il a vu de ses yeux mon père s'endormir au rez-de-chaussée.

J'essaie de lui offrir un sourire enjoué, mais je sais bien que j'échoue misérablement.

— Très bien, merci. On se voit demain matin. Fais de beaux rêves.

Je rejoins ma chambre, ferme la porte derrière moi et me prépare à aller au lit. Une heure plus tard, je n'ai toujours pas trouvé le sommeil et décide d'aller prendre une douche, espérant qu'elle me rafraîchira et libérera un peu mes tensions. Peut-être est-ce la sueur de cette soirée de folie qui m'empêche de dormir…

Je me délecte sous le jet d'eau chaude essayant de ne plus penser à rien, lorsque j'entends le rideau coulisser le long de la tringle. Je m'essuie les yeux et vois Cash me rejoindre dans la douche.

J'ai du mal à ne pas manifester mon enthousiasme comme une ado en chaleur en matant son corps nu. Je n'en ai jamais vu d'aussi parfait. Son torse est large, mat et sans défaut, joyau de chair et de muscles orné, sur le pectoral gauche, d'un tatouage mystérieux. Son ventre est plat, ses abdos provocants, ses jambes longues et puissantes. Il n'y a pas un centimètre de son corps qui ne me fasse pas rêver, en particulier ceux, nombreux, durs et inflexibles qui embrasent mon ventre dès qu'ils s'y aventurent.

Mes yeux ne peuvent se détacher de son sexe, c'est plus fort que moi. À sa seule vue, je me sens chaude, humide et prête.

Cash pose un doigt sous mon menton et relève doucement mon visage. Sa figure d'ange affiche un air bienveillant.

—Tu t'inquiètes trop. Tu ne peux pas simplement me faire confiance?

Ses yeux me transpercent presque. J'ai envie de lui à en crever, mais je me demande si lui céder est la meilleure chose à faire…

Si seulement il pouvait être un peu plus comme Nash…

—Je ne sais pas…, dis-je avec sincérité.

Il acquiesce, compréhensif.

—Tu apprendras à le faire. Je te le promets.

Et, soudain, il m'embrasse. Cette fois, son baiser est délicat, profond, plein d'émotions, même si je n'ai pas la moindre idée de ce qu'il essaie de me dire.

Je me dégage de lui pour parler, mais il pose un doigt sur mes lèvres.

—Non… Laisse-moi juste te faire l'amour, OK? Ne parle pas. Ne réfléchis pas. Contente-toi de ressentir.

Ses yeux de séducteur sont d'un noir insondable. Malgré le décor sulfureux, jamais je ne l'ai senti aussi doux. Après quelques secondes de silence, j'acquiesce enfin. Il sourit, puis m'embrasse de nouveau. Tendrement.

De sa langue et de ses lèvres, il lèche les gouttes d'eau le long de ma peau nue, explore mon cou, mes seins, puis mon ventre. Lentement, il s'agenouille entre mes jambes et, par deux fois, me guide aux portes de l'extase, s'arrêtant chaque fois sur le seuil, comme s'il attendait quelque chose pour faire le dernier pas.

Lorsque pour la troisième fois, je suis sur le point d'exploser, il se relève et m'embrasse, avant de m'attraper par les hanches et de me plaquer contre la paroi de la douche. Délicatement, il me dépose sur son sexe et me laisse glisser sur lui, tandis que sa langue s'enroule autour de la mienne, mimant les mouvements de son corps.

Nous jouissons ensemble, et, sa bouche contre la mienne, il étouffe mes gémissements, sans doute par respect pour mon père endormi. Lorsque nous en avons fini de trembler, toujours en moi, il se redresse et me tire vers lui, sous le jet de la douche. La chaude caresse de l'eau m'apaise, et je manque de m'endormir, la tête posée sur son épaule.

Cash me dépose au sol, coupe l'eau, puis s'empare de la serviette que j'avais préparée pour moi. Il me sèche de la tête au pied, puis me dépose dans mon lit, entièrement nue.

—Il faut dormir maintenant, dit-il d'une voix adorable. Ne pense plus à rien. Je te retrouve demain matin.

Il s'éclipse sans un bruit.

Et je m'endors.

26

CASH

JE ME RÉVEILLE AVEC UNE GAULE DE TOUS LES DIABLES ET, EN tête, l'image obsédante d'une déesse. L'aurore darde ses rayons à travers les rideaux. Je sais que je ne devrais pas la réveiller, mais je crains presque de ne pas le faire : qu'importe ce qu'elle ressent au plus profond d'elle-même, qui sait si elle sera dans les mêmes dispositions au réveil ?

Impatient de le savoir, je décide d'aller la voir.

J'entrouvre la porte et tends l'oreille. Son père ronfle au rez-de-chaussée, alors je sors de ma chambre et longe le couloir jusqu'à celle d'Olivia.

Je me fais le plus discret possible et suis rassuré de voir sa respiration profonde et régulière. Elle dort sur le côté et me tourne le dos. Je retire mon jean et soulève juste assez les couvertures pour pouvoir me glisser à ses côtés. Je me rapproche lentement, et me cale délicatement contre son dos.

Endormie, elle remue contre moi, s'ancre à mes hanches. Je me mords une lèvre pour ne pas grogner. Elle est nue, et le creux de ses fesses me caresse, me provoque.

Je passe un bras par-dessus ses côtes et empoigne un de ses seins parfaits. Même si elle dort, son corps me répond et son téton devient ferme. Je le pince délicatement entre mes doigts, et elle se met à gémir doucement, pressant ses fesses contre moi. Je plaque mes hanches contre elle.

Je me penche et embrasse son cou, tandis que d'une main, je caresse son ventre, puis laisse glisser mes doigts jusqu'aux boucles délicates qui habillent ce que je convoite le plus. Guidée par l'excitation, elle se tourne légèrement et écarte suffisamment les cuisses pour que je puisse glisser un doigt entre ses lèvres. Je la caresse lentement, tendrement, jusqu'à sentir ses hanches onduler, se calquer sur le rythme de ma main.

Lorsque je glisse un doigt en elle, je me rends compte qu'elle est déjà trempée. Mon corps entier se tend à cette découverte, vient épouser le sien.

Je descends une main jusqu'à sa cuisse et relève sa jambe. Elle est suffisamment ouverte pour que je m'invite en elle par-derrière. Je ne peux m'empêcher de lâcher un grognement de satisfaction en me frayant un passage entre ses lèvres étroites. J'inspire profondément pour garder au mieux le contrôle : je ne voudrais pas que son père soit réveillé par un rugissement bestial. Elle presse ses fesses contre moi, m'enfonçant profondément en elle. J'ignore encore si c'est intentionnel ou instinctif, car je n'arrive pas à déterminer si elle est encore endormie.

Mes doigts reprennent leur ronde sensuelle, et mes coups de reins la guident lentement vers l'orgasme. Lorsque je sens ses muscles se resserrer autour de moi, sa main se lève, agrippe ma hanche et m'attire contre elle.

Elle est réveillée.

Sa respiration s'accélère, puis elle halète soudain. Je savoure jusqu'au dernier spasme de son orgasme, envoûté par sa respiration convulsive. Je la maintiens fermement, puis poursuis mon va-et-vient, plus puissant, plus profond.

Très vite, au bord du vertige, je jouis violemment en elle. Sans même que je m'en rende compte, mes dents viennent mordre le creux de son cou. Cela semble l'exciter. Elle passe un bras en arrière, puis sa main dans mes cheveux, les tire légèrement, tandis que je continue à me répandre en elle.

J'ai hâte de voir ce dont elle est capable quand elle se lâche…

27

OLIVIA

JE N'ARRÊTE PAS DE SOURIRE. COMME HIER. MÊME SI LE doute ne me quitte pas, étendue comme je le suis sur le torse nu de Cash à suivre des doigts les lignes de son tatouage, j'ai bien du mal à me laisser envahir par des idées noires.

— Qu'est-ce qu'il signifie ? je murmure.

— C'est le symbole chinois qui représente le dieu du plumard…, plaisante-t-il d'une voix douce.

Je glousse.

— Si ce n'est pas le cas, ce dont je suis assez convaincue, ça devrait l'être.

— C'est un compliment, ça, je me trompe ? Non, je préfère demander, parce que je n'ai pas vraiment l'habitude avec toi…

Je lui envoie une tape amicale sur les côtes.

— Dis tout de suite que je suis une ingrate parce que je ne me jette pas à tes pieds en louant ta grandeur.

— Inutile de te jeter à mes pieds. Cela dit, si vraiment ça t'importe, je suis sûr que je peux te trouver un truc sympa à faire pendant que tu es à genoux.

Je lève les yeux vers lui. Il a encore ce visage théâtral et comique qu'il avait hier soir chez Tad.

— Je n'en doute pas, dis-je en secouant la tête, avant de reposer la joue sur son torse et de suivre du doigt les courbes d'encre. Sérieusement, il a une signification particulière ?

Cash reste silencieux si longtemps que je finis par me demander s'il va me répondre. Ce qu'il fait enfin.

—C'est un assemblage de motifs qui me rappellent ma famille.

Je regarde chacun des symboles sans pour autant discerner ce qu'ils pourraient représenter, puis détoure le tatouage qui me fait penser à de longs doigts de ténèbres.

—Celui-ci, par exemple ?

—Ce sont les flammes qui m'ont privé des miens.

Je me redresse, en équilibre sur un coude, et baisse les yeux vers lui.

—Comment ça ?

Les quelques secondes qu'il prend avant de me répondre me laissent deviner un Cash hésitant et troublé.

—Ma mère est morte dans l'explosion d'un bateau. Ma famille entière aurait dû y passer. Mon père est en prison, parce qu'il a été jugé coupable du crime. Mon frère et moi sommes… aussi différents que distants. Ces flammes ont fait de moi ce que je suis. Un sans foyer. Un sans famille. Un homme seul.

Je repense aussitôt au soir où Nash m'avait révélé que son père était en prison pour meurtre. Nous n'avons jamais eu l'occasion d'en parler plus avant, aussi, j'ignorais que sa mère était celle à laquelle son père avait ôté la vie.

J'aimerais en savoir plus, bien sûr. Des milliers de questions me brûlent les lèvres, mais je ne veux pas le brusquer.

—Tu voudrais qu'on en parle ?

Il m'adresse un sourire aussi poli qu'empreint de tristesse.

—Pas vraiment, si cela ne te dérange pas. Je n'aimerais pas gâcher une journée qui a commencé d'aussi belle manière.

Son sourire s'agrandit, et il se penche pour empoigner mes fesses. Je le sens durcir contre mon ventre.

Je lui souris en retour.

—Calme tes ardeurs, mon garçon. Mon père ne va pas tarder à se réveiller, et j'ai oublié de te dire qu'il avait la gâchette facile…

—Dans ce cas, qu'est-ce que tu dirais d'un bon petit déjeuner ?

Je glousse.

— Sage proposition, lopette.

— Ne te moque pas : je te servirais à quoi si ton père me faisait exploser la queue à coups de carabine à plombs ?

Je me contente de sourire, mais, en mon for intérieur, mon cœur chavire. Je commence à me dire que Cash est plus qu'un demi-dieu sous la couette : il est séduisant, plein d'esprit, attentionné, passionné, futé et plein de ressources. En somme, il réunit tout un tas de qualités incroyables qui n'ont rien à voir avec ses prouesses au lit…

Et dans des toilettes des femmes… Et contre un mur de salle de bains.

Ces dernières pensées me donnent une fois de plus du baume au cœur.

Dès que Cash a quitté ma chambre pour rejoindre discrètement la sienne, je file sous la douche. Une fois de plus. Mais pour me laver, cette fois.

Je ne cesse de sourire. Tandis que je me savonne, j'ai l'impression qu'il n'y a pas un centimètre carré de ma peau qui n'a pas connu Cash ; et la sensation est des plus agréables. Pour l'instant, en tout cas.

La réalité de la situation menace de prendre mon esprit d'assaut, mais, une fois de plus, je la repousse, encore et encore, impitoyable. J'y penserai lundi. Ce week-end, c'est relâche… Je bâillonne ce qui me reste de sagesse, de sens des responsabilités et les voix dans ma tête, et je me consacre à Cash, à moi, et au magnétisme torride qui nous attire l'un vers l'autre.

Après avoir enfilé un short taillé dans un vieux jean et un débardeur digne d'une pom-pom girl en manque, je descends au rez-de-chaussée… et ce que j'y découvre me laisse stupéfaite.

Mon père est assis à la table de la cuisine. Sa jambe plâtrée repose sur un tabouret, ses béquilles contre le mur derrière lui, et il a visiblement sauté la case « rasage », ce matin. Le plus surprenant, cependant, c'est qu'il semble prendre à un plaisir authentique à discuter avec Cash qui, lui, prépare le petit déjeuner.

Un millier de sentiments bouillonnent dans ma poitrine devant cette scène improbable, et aucun d'entre eux ne m'enchante : tous nous mettent, mon cœur et moi, en grand péril.

Si seulement tu ressemblais davantage à Nash...

Sous les directives de mon père, Cash ajoute des épices à ses œufs brouillés.

—Bonjour, dis-je, un sourire radieux aux lèvres, tentant de dissimuler mon abattement.

Ils se tournent tous deux vers moi, des sourires guillerets sur le visage. Posté derrière la gazinière, Cash m'adresse un clin d'œil et, aussitôt, une vague de désir embrase mon ventre. Je défie n'importe quelle femme douée de raison de me dire que cet homme ne fait pas monter son thermomètre interne autant que la cuisinière fait chauffer nos œufs brouillés.

Je me précipite pour les aider et me laisse envoûter par cette matinée hors du commun, pleine de charme et de magie. Tandis que je suis là, assise, à me gaver d'œufs, de bacon, de pancakes et de café, j'ai pleinement conscience que tous les matins jusqu'à la fin de mes jours seront mesurés à l'aune de celui-là. D'ailleurs, je les sens déjà bien fades. Douloureusement fades.

Merde...

Après avoir fait la vaisselle, Cash aide mon père à s'installer dans son fauteuil et nous partons pour la grange. Sur le chemin, il me canarde de questions sur l'élevage des moutons. J'essaie de répondre aussi succinctement que possible, mais force est d'avouer qu'il n'est pas évident de résumer une vie d'expériences et de savoir-faire en l'espace de quelques minutes.

—OK. Et donc, qu'est-ce qu'on fait aujourd'hui ?

—On va chercher les agneaux qui viennent de naître. Les brebis se séparent et vont mettre bas dans les bois ou les champs. Nous devons nous assurer que les petits vont bien ; qu'ils n'ont pas de soucis de santé nécessitant une intervention d'urgence. Lorsqu'on en trouve un, je le recense et note à quelle brebis il appartient. Cela nous permet de savoir à peu près combien de temps attendre avant de les marquer, de couper la queue des femelles et de castrer les mâles.

—Couper la queue des femelles? Castrer les mâles? Mais pourquoi? me demande Cash, manifestement horrifié par cette pratique qu'il juge barbare.

—Nous coupons la queue des femelles parce que c'est à la fois plus sûr et plus hygiénique pour les brebis lorsqu'elles mettent bas. C'est dans l'intérêt de la mère comme du petit. Qui plus est, cela nous permet de les différencier facilement des jeunes moutons. Quant aux mâles, nous les castrons parce que… tu sais très bien de quoi ils sont capables lorsqu'ils ne le sont pas.

Une fois passé le choc de la révélation, Cash sourit et agite ses sourcils de façon comique.

—Je vois tout à fait, oui!

Je lui souris, passe une jambe par-dessus la large selle rembourrée du quatre-roues, puis tapote la place derrière moi.

—Cette fois, c'est à mon tour de conduire…, dis-je d'une voix sensuelle.

Cash hausse un sourcil, de cette façon qui me fait chavirer, puis s'installe lentement derrière moi. Il enserre mes hanches, cale le creux de ses cuisses tout contre moi, puis plaque son torse contre mon dos. Je le sens sur chaque centimètre carré de mes fesses… Il passe ses bras autour de ma taille et, de la manière la plus indécente possible, pose ses mains sur le bas de mon ventre, attisant en moi un désir soudain.

Ses lèvres caressent mon oreille.

—C'est toi qui donnes le départ…, murmure-t-il.

D'une main tremblotante, je tourne la clé et démarre le moteur. Dès ses premiers vrombissements, je sais qu'il va peiner à égaler les performances débridées de ma libido. Si Cash ne se calme pas, je risque d'imbiber le cuir sur une bonne trentaine de centimètres.

Je sors de la grange, puis m'arrête bientôt pour ouvrir la première barrière. L'un de nos nombreux chiens de berger court à notre rencontre, et je tends une main affectueuse pour caresser l'énorme tête blanche du patou.

—Salomon! Ça va, mon chien?

Je me penche, et il lèche ma joue avec enthousiasme, avant de reculer, me laissant assez d'espace pour ouvrir la barrière et passer. Cash descend pour la refermer derrière nous, rituel que nous répétons à chaque nouvelle barrière de chaque nouveau champ que comptent les soixante-dix hectares de ferme qui m'ont vue grandir.

Je pilote l'engin le long des chemins de mon enfance, grimpant, descendant, virant sur les sentiers, pointant du doigt les lieux que Cash pourrait trouver intéressants. Il me pose plusieurs questions pertinentes qui achèvent de me convaincre que ses aptitudes intellectuelles n'ont rien à envier à celles de Nash.

OK, donc, en plus d'être sexy à m'en faire changer de culotte six fois par jour, il est intelligent… Me voilà dans de beaux draps!

Cash m'aide à localiser brebis et agneaux. Il en repère plusieurs qui sont nés au printemps. Contrairement à moi, il n'a pas vécu avec les moutons toute sa vie, il lui est donc difficile de distinguer les différences subtiles qui montrent qu'ils sont trop âgés; que nous en cherchons de plus jeunes encore.

Nous parvenons finalement à trouver sept agneaux nés hors saison cette année. Ce sont les rejetons de Rambo, l'un de nos béliers, qui a réussi à fuir son enclos et à saillir plusieurs brebis. D'ordinaire, papa essaie d'organiser les naissances de façon qu'elles aient lieu au printemps. Toutefois, quand ce genre d'escapades clandestines se produisent, nous devons procéder au délicat recensement des agneaux-surprises.

Je consigne les informations concernant chaque petit que nous trouvons: selon les estimations de mon père, nous devions en découvrir entre sept et neuf. Il n'est pas impossible que nous trouvions quelques nouveau-nés demain durant une nouvelle expédition… En espérant qu'ils seront vivants.

Même après toutes ces années, mon cœur se serre à cette pensée. Il n'y a rien de pire que de perdre des agneaux.

Sur le chemin du retour, nous croisons deux autres chiens et Pedro, le lama. Bien sûr, Cash ne se prive pas de commenter ces nouvelles rencontres, me régalant de remarques aussi sagaces qu'amusantes.

Pour autant, je suis inquiète de constater que j'aborde la journée de façon aussi guillerette. Malgré le danger qu'il représente pour moi, je me sens irrémédiablement attirée par Cash… J'ai comme l'impression de voir se dessiner à l'horizon une terre nouvelle riche de sensations et de sentiments inédits. Mais ce territoire inconnu est couvert de nuages lourds et noirs. Je m'imagine sans peine reprendre cette ferme un jour avec Cash.

Et ce serait sans nul doute un désastre sans nom.

Plutôt que de rentrer, je prends le chemin d'une grange située plus au nord : il est distrayant de jouer avec Salomon à chaque arrêt, mais vu la propreté de la bête, c'est surtout terriblement salissant. Qui plus est, en roulant à travers les hautes herbes, nous projetons en tous sens un tas de saletés qui n'ont fait que nous parer d'une nouvelle couche de crasse. La grange étant le lieu le plus proche pourvu d'eau courante, nous pourrons y faire un brin de toilette.

Je laisse Cash se laver le premier. Vient ensuite mon tour : après m'être lavé les mains, je mouille une serviette en papier et la passe sur ma nuque et ma poitrine en sueur, puis le long de mes bras.

Une fois que j'ai terminé, je me tourne pour jeter la serviette à la poubelle et constate que Cash me déshabille du regard. Une épaule contre le mur, les bras croisés, il m'observe avec une expression que je ne connais que trop bien : un regard brûlant, intense et dangereux qui, si je n'y prends pas garde, risque d'avoir raison du peu de retenue qu'il me reste…

Je me fige. Je ne le fais pas exprès, c'est simplement que mes jambes semblent s'écrouler sous moi à l'instant même où il décroise les bras et commence à avancer vers moi. J'ai l'impression d'être en face d'un lion impitoyable qui vient de choisir la femelle avec laquelle il a l'intention de s'accoupler et ne compte pas la laisser filer.

Cash s'arrête devant moi. Il ne dit pas un mot : il se contente de se pencher, de me prendre dans ses bras, puis de me porter jusqu'au quatre-roues.

J'avais garé le véhicule au soleil, au sommet d'une colline ceinte par de riches bosquets. En dessous, un champ d'herbe grasse. Personne ici ; pas le moindre curieux. Rien que de l'herbe, de l'herbe haute, très haute, qui danse dans la brise chaude.

Cash grimpe sur l'engin et me dépose sur ses genoux. Pendant de longues secondes, il me regarde intensément, comme si personne d'autre que moi n'existait sur cette Terre. À cet instant précis, il n'existe personne d'autre que lui à mes yeux. J'ai le sentiment que nous sommes seuls en ce monde, que nous nous laissons consumer par le regard de l'autre. J'oublie tout le reste.

Je suis terrifiée d'y prendre tant de plaisir. Lui, moi et rien d'autre. Personne d'autre.

Cash pose ses mains sur mes joues et m'embrasse. Son baiser est moins sauvage qu'à l'accoutumée, mais, sous la surface, quelque chose m'écorche au plus profond. C'est comme si… comme s'il vampirisait quelque chose en moi, jusque dans mon âme, presque.

D'une main habile, il déboutonne mon short et dépose sur mon ventre nu des caresses délicates. Mes cuisses frissonnent, et une chaleur agréable irradie dans mon ventre. Dès que Cash me touche, j'ai le sentiment qu'un flot de lave menace d'embraser ma peau, mon corps tout entier.

Soudain, il passe un bras autour de moi, me soulève, puis fait glisser mon short et ma culotte le long de mes jambes, avant de les jeter derrière le siège. Il n'a pas dit un mot, et la perspective de m'abandonner à lui, de le laisser me porter là où bon lui semble me paraît toujours aussi dangereuse…

Mais c'est plus fort que moi. Il fait capituler ma volonté. Aujourd'hui, en tout cas… Ce ne sera peut-être plus le cas demain, mais aujourd'hui, je le veux pour guide.

Sans jamais détourner son regard du mien, Cash recule légèrement et baisse sa braguette. Je ne peux m'empêcher de contempler son sexe parfait.

D'une main assurée et confiante, je l'enlace sans que mes doigts parviennent à en faire le tour. Il grogne, et une goutte perle au bout de son gland. Laissant mes fesses glisser en arrière sur le siège, je me penche et lape le nectar d'une langue experte… qui se montre de plus en plus gourmande.

Lorsque mes lèvres se referment autour de lui, je sens les doigts de Cash empoigner mes cheveux… Comme je peine à prendre son sexe massif dans ma bouche autant que je le voudrais, je le lèche, le suce de la base jusqu'au gland. Puis, aventureuse, je prends ses bourses dans mes paumes, avant de les caresser avec ma langue et mes lèvres.

Soudain, Cash me soulève et m'embrasse, découvre dans ma bouche sa propre saveur. Impatient, il saisit mes hanches, me soulève, et j'enserre sa taille de mes jambes. Alors, sans plus de préliminaires, d'un mouvement sauvage des hanches, il passe la barrière de mes lèvres.

Je lâche un cri d'extase soudain, incontrôlé, né contre ma volonté au plus profond de moi.

Nos corps baignés par un soleil éclatant, je chevauche Cash au rythme de nos respirations haletantes. Je gémis lorsqu'il me mordille l'oreille, gémis encore quand il soulève mon tee-shirt puis mord l'un de mes tétons à travers mon soutien-gorge. Il me dit ce qu'il ressent lorsqu'il est en moi, me murmure ce qu'il fantasme de me faire…

Je n'ai pas besoin qu'il me le dise pour comprendre qu'à cet instant, rien d'autre que moi n'existe pour lui. Je le lis sur son visage, le ressens à son baiser. Là, sur cette colline, tout entier, il est à moi, et je suis à lui.

Prise dans le tourbillon de sa passion, hypnotisée par ses yeux, dressée par ses doigts, je perds pied, et la réalité du monde alentour s'estompe quand un orgasme extatique agite mon corps de spasmes incontrôlables. Je n'ai plus conscience que d'une chose : le souffle de Cash contre mon oreille, et sa chaleur intense lorsque ses vagues de plaisir déferlent en moi, intensifiant encore la volupté de l'instant.

Je cherche mon souffle, bras et jambes enserrés autour de Cash. Sa bouche contre la peau de mon cou, pantelant, les mains plaquées contre mon dos, il me serre contre lui.

Je pourrais rester comme ça pour toujours.

Si seulement Cash était le genre d'hommes à accepter de s'engager…

Comme s'il lisait dans mes pensées, ses bras resserrent leur étreinte. Blottie dans son cou, je soupire en priant pour qu'il n'ait rien perçu de mes espoirs…

28

CASH

Le retour de Salt Springs à Atlanta, dimanche soir, me laisse un arrière-goût étrange. Certes, nous chevauchons ma bécane et, la joue contre mon dos, les cuisses fermement calées contre moi, Olivia semble apaisée et heureuse, mais j'ai le sentiment qu'une pensée la trouble, et j'ignore de quoi il s'agit.

Ce week-end, nous avons couché ensemble une dizaine de fois, et je peine à penser à autre chose qu'à notre prochaine partie de jambes en l'air, à ce que je veux lui faire ; ce que je veux lui faire ressentir. Je ne peux plus me passer d'elle…

Plus que tout, il y a quelque chose qui me rend complètement dingue : cette impression que chaque fois que nous faisons l'amour, c'est pour la dernière fois. Elle semble ne pas vouloir se défaire de sa retenue… Je le sens. Je le lis dans ses yeux quand, à l'occasion, elle baisse sa garde et n'a pas le temps de le dissimuler derrière un sourire. Quelque chose la tracasse. J'ai ma petite idée sur la question, mais je ne sais pas comment remédier au problème… J'ignore même si je suis capable d'y remédier.

Une fois arrivé devant chez elle, je mets la béquille en place sans couper le moteur. Quelque chose me dit qu'elle ne va pas m'inviter à entrer.

Et j'ai raison.

—Je ne sais pas comment te remercier pour tout ce que tu as fait pour moi ce week-end.

Des remerciements ? C'est gentil, mais…

Bref : je lui décoche mon fameux sourire désinvolte.

—Tout le plaisir fut pour moi.

Elle sourit à son tour, mais son rictus est teinté de tristesse… De fatalité, aussi. Elle estimait sans doute que notre histoire était terminée avant même d'avoir commencé. La question, maintenant, c'est de savoir si je peux la faire changer d'avis… et comment je dois m'y prendre.

Moi-même, je sens la gêne qui accompagne le silence qui suit ; ce qui est louche en soi, puisque c'est le genre de trucs qui me passent pas mal au-dessus, d'ordinaire. D'ailleurs, en règle générale, il y a pas mal de trucs qui glissent sur ma carapace. Mais cette gêne-là, je l'ai remarquée.

J'ai besoin de temps pour réfléchir… mais pas trop, pour qu'elle, par contre, ne se retranche pas dans sa forteresse de doute et de résignation. Si cela devait arriver, je serais dans la panade. En ce qui la concerne, en tout cas.

—Bon, sinon, tu m'avais dit que tu pourrais te charger d'un ou deux trucs au club en dehors de tes horaires habituels. Demain soir, tu serais dispo ? Tu n'auras pas à rester bien longtemps.

Une chose est sûre : je ne l'ai pas prise au dépourvu. Elle a déjà dû réfléchir à cent bonnes excuses pour ne pas venir. Mais je les balaierai toutes d'un revers de main. Je ne la laisserai pas s'aventurer sur cette voie-là…

—Bon, qui ne dit mot consent. D'ici là, ta voiture sera prête. Je te la rapporterai tôt demain matin.

Je comparerais volontiers son expression à celle du gosse coincé au plus bas dans un tas d'hommes et qui panique par peur d'étouffer. Je sais que je devrais culpabiliser de la bousculer de la sorte, mais ce n'est pas le cas. Pas vraiment… Je sais qu'elle s'est mis dans la tête que je n'étais pas un mec pour elle, mais elle se trompe. Pour tout dire, plus je la connais, plus je passe du temps avec elle, plus je suis convaincu que je suis exactement le genre de types dont elle a besoin. C'est juste qu'elle ne le sait pas encore.

Mais ça viendra… Quant à lui dire toute la vérité sur moi, c'est encore un peu tôt. J'attendrai autant que possible ; sans ça, on court à la catastrophe.

Au bout d'une éternité, elle acquiesce.

— OK, on fait comme ça. Et merci encore, Cash. Vraiment, je ne sais pas comm…

— Arrête un peu. Si tout ça a pu t'aider à me voir autrement que comme un loubard dénué de conscience, ça me suffit.

Comme je sais qu'elle cherche une repartie, je m'empresse d'embrasser sa bouche entrouverte, enfile mon casque, puis disparais au loin.

Garder occupé l'esprit – et la bouche – de cette fille, voilà qui est probablement ma meilleure stratégie…

On va bien s'amuser…

29

OLIVIA

QU'EST-CE QUE JE VAIS FAIRE, MERDE?

Je me laisse choir sur mon lit, tête contre l'oreiller. Je suis dans la merde jusqu'au cou. Cash est le dernier type pour lequel il faut que je craque.

Je ne pensais pas que je m'autoriserais à m'impliquer autant avec lui. Je veux dire, il est sexy, charmeur et amusant, mais je ne pensais pas que si nous finissions effectivement par passer par la case «sexe», nous en viendrions si vite à ça. Même si je ne sais pas précisément dans quelle situation nous nous trouvons.

C'était une erreur monumentale que de passer autant de temps avec lui à la maison avec mon père. Cet endroit, c'est comme un sanctuaire pour moi. L'inviter ainsi dans ma retraite et le voir s'y intégrer si parfaitement m'a prise au piège de mes fantasmes et de mes espoirs de romantisme cliché.

Fait chier…

Comme si ma mère venait d'investir la quasi-totalité de mon cerveau, je l'entends lister tous les défauts de Cash et toutes les qualités de Nash, les engageant malgré eux dans une confrontation à mort.

Ce que j'aimerais pouvoir la faire taire! Je ne veux plus l'entendre me dire que ça ne marchera jamais avec Cash; que ce n'est pas de ce genre d'hommes dont j'ai besoin. Elle me hurle presque que Nash est la perfection incarnée…

Et elle a raison.

Le fait qu'il me désire suscite en moi un certain espoir. Le fait qu'il soit maqué est rapidement contrebalancé par son refus de laisser libre cours à ses envies ; il bride ses désirs par respect pour Marissa, alors qu'elle n'est qu'une vipère.

Malgré tout, je sais que je n'ai pas la tête froide : ma peur panique des sentiments que j'éprouve pour Cash a déclenché l'alerte rouge dans mon esprit... Pour autant, la voix de ma harpie de mère est trop forte, et j'ai beau lutter de toute mon âme, je suis incapable de faire confiance à mon cœur. Qui plus est, avoir vu Gab ce week-end porte un coup fatal au pauvre Cash.

Sans laisser au doute le temps de reprendre possession de mon esprit, je m'empare de mon téléphone et compose le numéro de Nash. Peut-être que je pourrai savoir à quoi m'en tenir avec lui une bonne fois pour toutes : je ne peux pas continuer à le considérer comme une option valable si je n'ai aucune chance avec lui.

Au départ, je suis soulagée qu'il ne décroche pas, mais lorsqu'il finit par le faire, je me sens étrangement rassurée d'entendre sa voix.

— Nash, c'est Olivia. Je suis désolée de t'appeler à une heure aussi tardive. Je te dérange ?

— Non, non, pas du tout. Je viens de rentrer, en fait. Tout va bien ?

Par où commencer ? Maintenant qu'il est à l'autre bout du fil, je me rends compte que je n'ai pas la moindre idée de quoi lui dire.

— Oui, tout va très bien..., dis-je avant de marquer une pause suspecte. Bon... En fait, non, ça ne va pas. Tu penses que tu pourrais passer me voir ?

— Chez toi ? Maintenant ?

Quelque chose dans sa voix – l'ombre d'une hésitation –, me ramène quelque peu à la réalité.

Mais pas entièrement. Cela dit, je poursuis sans trop me poser de questions.

— Oui, ce soir. Dès que possible.

— Que se passe-t-il, Olivia ? Tu m'inquiètes. Il t'est arrivé quelque chose ? Mon frère ne t'a pas fait de mal, au moins ?

Je sens poindre dans sa voix un soupçon de rage et en suis aussitôt troublée. Il me faut bien trois ou quatre secondes pour comprendre pleinement ce qu'il veut dire.

— Comment ? Cash ? Non ! Mon Dieu, non ! Il ne m'a rien fait de mal !

Quelle idée se fait-il de son frère pour imaginer qu'il aurait pu me violer ?

Je l'entends soupirer.

— OK, très bien. Je serai là dans vingt minutes.

— Super. Merci… À tout à l'heure.

En l'attendant, j'arpente la pièce de long en large, sans réussir à me calmer. En fait, j'hésite entre deux possibilités aussi radicales et angoissantes l'une que l'autre : faire des avances à Nash ou déménager en Sibérie.

Lorsque j'entends résonner la sonnette, la Sibérie me semble être un choix bigrement séduisant.

J'ouvre la porte d'un grand geste, et découvre avec étonnement un Nash un peu débraillé. Il a dû travailler tard… Si son costume noir taillé sur mesure lui va à la perfection, sa cravate rouge est de travers et ses cheveux sont en bataille, ce qui accentue encore sa ressemblance avec Cash. En fait, j'ai sous mes yeux une sorte de Cash idéalisé : un cocktail parfait entre Cash et Nash.

Pourquoi est-ce qu'ils ne peuvent pas chacun s'approprier un peu le caractère de l'autre ?

Je réponds à ma propre question.

Parce que sinon, tu les voudrais tous les deux. Exactement comme maintenant, d'ailleurs. Sauf que là, tu n'aurais aucune bonne raison de refréner tes envies…

Je secoue la tête et fais un pas de côté pour le laisser entrer. Il marche péniblement jusqu'au canapé et s'y affale, visiblement éreinté. Je viens m'asseoir sur l'accoudoir à l'autre bout et me tourne vers lui.

—Dure journée?

Il remue la tête de haut en bas.

—Par moments, très…

Je déglutis.

—Je suis désolée de t'avoir dérangé si tard.

—Ne t'en fais pas, j'étais encore debout. Et puis, je t'avais dit de m'appeler en cas de besoin.

Je ne quitte pas des yeux ce visage qui me semble si familier désormais. Ce n'est pas facile de lui associer la personnalité de Nash ; de ne pas ressentir, derrière ces yeux luisants de fatigue, la chaleur intense du regard de Cash.

Comme je ne parle pas, il lève un sourcil, perplexe.

—Alors? Qu'y a-t-il?

Je ne sais pas exactement ce qui me passe par la tête, mais alors qu'il y a une seconde, je me demandais encore pourquoi j'avais fait une chose aussi stupide que lui demander de venir, je lui envoie maintenant sans sommation un missile sol-air en plein tympan.

—Nash, est-ce que je te plais?

Si les mots que je viens de prononcer ne m'avaient pas moi-même choquée, je crois que j'aurais trouvé son expression comique. Pour l'heure, la honte me ronge tout entière.

—Pardon?

Je me rapproche doucement de lui, puis pose une main sur son avant-bras pour appuyer ma question.

—Est-ce que je te plais?

—Je crois qu'à ma manière, j'ai déjà répondu assez clairement à cette question, il y a quelques jours, sur la terrasse… Pourquoi est-ce que tu me demandes ça?

Je dois avouer que je suis totalement paumée. Le pire, c'est que je ne savais vraiment pas où j'allais en me lançant comme ça. Je n'avais pas le moindre plan ; pas même la moindre esquisse d'embryon de quoi que ce soit qui puisse ressembler à un plan. Alors je n'ai pas d'autre choix que d'assumer et d'y aller à fond… ce qui, en l'occurrence, signifie « passer à deux doigts d'agresser Nash sexuellement ».

Je me penche en avant et l'embrasse. J'ignore qui, de lui ou de moi, est le plus surpris par mon initiative. Contre les miennes, ses lèvres restent de marbre et, si tant est que ce soit possible, ma honte se fait plus intense. Alors, tout à coup, il se détourne comme si mes lèvres venaient de le brûler.

Ses mains s'emparent alors de mes avant-bras, et les serrent si fort que j'ai l'impression que ses doigts vont s'enfoncer dans ma chair, puis il me regarde droit dans les yeux. L'espace d'une seconde, bien que je ne comprenne pas pourquoi, je suis convaincue d'y déceler de la douleur et de la rage. Mais voilà qu'un clignement d'yeux plus tard, il n'y a nulle trace sur son visage de sa colère, et je me demande si je n'ai pas rêvé.

Ses lèvres esquissent un rictus presque cruel.

—C'est donc ça…, dit-il, énigmatique.

J'essaie de me défaire de son étreinte, mais sa poigne de fer m'agrippe à m'en faire mal. Et elle ne me lâche pas. Nash m'attire alors sur lui, et prend mon visage entre ses mains.

—C'est ça que tu veux?

Avant même de pouvoir répondre, ses lèvres m'assaillent. Elles ne sont ni douces, ni passionnées; elles ne traduisent pas le moindre désir charnel. Elles sont vindicatives, rageuses et froides.

Je tente de me défaire de son emprise, mais sa langue force le passage entre mes lèvres. Sa bouche est à ce point pressée contre la mienne que, l'espace d'un instant, je crois sentir le goût du sang – saveur déplaisante à laquelle se mêle bientôt une pointe de sel.

Je pleure.

Nash bascule la tête en arrière et ouvre la bouche comme s'il s'apprêtait à me maudire, mais il se fige soudain, sous le choc. Il a remarqué mes larmes.

C'est à cet instant que le Nash que je croyais connaître refait son entrée.

Son visage s'attendrit et, d'une main attentionnée, il essuie les larmes qui coulent le long de ma joue gauche. Mon menton tremblote et, malgré tous mes efforts, je suis incapable de l'apaiser.

— Je t'ai fait mal ? murmure-t-il, couvrant ma joue et ma bouche de baisers délicats. Je suis désolé...

— Excuse-moi, je lui murmure. Je n'aurais pas dû faire ça. Je sais que tu es avec Marissa. Je ne sais pas ce qui m'a pris.

Nash se redresse et me regarde.

— Est-ce que je suis le genre d'hommes que tu veux ?

Je n'en ai pas la moindre idée. Dois-je lui avouer que oui ? Suis-je encore certaine de mes sentiments à son égard après ce qui vient de se passer ?

Cash passe la porte de mon esprit.

Comme s'il percevait mes pensées, Nash reprend la parole.

— Et mon frère, alors ? Je veux dire... je sais qu'il a passé le week-end avec toi à Salt Springs.

Bien sûr qu'il le sait. Il tient cette information de la seule personne qui pouvait le renseigner là-dessus : son frère... Je doutais que ce soit seulement possible, mais je me sens encore plus honteuse tout à coup. Il doit me prendre pour une vraie traînée, maintenant...

Avant que je puisse dire quoi que ce soit, il poursuit.

— Ou alors... j'étais là-bas, moi aussi...

Ses lèvres caressent les miennes.

— C'est à ma bouche que tu pensais en l'embrassant ?

Aussi légère et délicate qu'une plume, sa main glisse sur ma cuisse, remonte jusqu'à mes hanches.

— T'imaginais-tu que c'était moi qui te caressais ? Comme la nuit où je suis venu dans ta chambre ?

Je me fige, sous le choc.

Mon Dieu, c'était Nash !

Je me redresse et m'apprête à parler, mais ses lèvres ont déjà pris les miennes d'assaut et les entrouvrent, voraces. Je sens son souffle chaud en moi, mais suis incapable de m'abandonner à lui.

— Tu veux encore de moi ? Si oui, je suis à toi.

Son baiser se fait plus profond, sa langue embrasse la mienne, et sa main caresse ma taille, mon ventre... Un frisson me parcourt l'échine : Cash ne m'aurait pas touchée autrement...

Cash…

Je pose mes mains sur le torse de Nash et le repousse. Il se laisse faire, ne résiste pas.

Nous nous faisons face de longues secondes, sans un mot. Il se contente de m'observer.

Enfin, il hoche la tête et esquisse un sourire résigné.

— Bonne nuit, Olivia.

Il ne se lève pas tout de suite. Il me regarde…

Après quelques secondes hors du temps, je me relève. Je le raccompagne à la porte, qu'il ouvre sans rien dire. Une fois dehors, il se retourne. J'ai l'impression qu'il va parler, mais il se ravise, et je le regarde disparaître dans l'obscurité, sans se retourner.

Entre la découverte de l'identité de mon mystérieux amant, ma honte grandissante en repensant à l'absurdité de mon numéro de la veille avec Nash et la situation catastrophique dans laquelle je me retrouve, sans surprise, je n'ai pas fermé l'œil de la nuit. Je décide finalement de sécher mes cours du lundi et de me rendre chez Cash. J'ignore ce pour quoi j'éprouve un tel besoin de le voir… Peut-être ai-je l'impression de l'avoir trahi. Je ne sais pas… Toujours est-il que je me sens attirée vers lui de façon presque mystique. Et comme je n'ai aucune envie de me poser davantage de questions, j'y vais.

Ce qui est sûr, c'est qu'il est réveillé : j'ai vu ma voiture garée devant chez moi en regardant par la fenêtre, ce matin, et mes clés étaient dans la boîte aux lettres.

La première fois que j'étais venue à l'*Hypnos Club* en journée, la porte était ouverte, car Cash m'attendait. Je m'étais alors demandé si c'était toujours le cas.

De toute évidence, non, me dis-je, en tentant vainement de pousser les deux battants.

On ne m'a pas confié de clés lorsque Cash m'a recrutée, car c'est toujours lui qui se charge de l'ouverture et de la fermeture. Normal : il vit ici !

Je contourne le bâtiment, convaincue qu'il doit y avoir une porte de l'autre côté. Il faut bien que les employés puissent sortir les poubelles sans passer par la boîte, et que Cash puisse entrer et sortir de chez lui sans se mêler à la foule.

La première façade de l'immeuble ne dispose pas d'issue, alors je continue. Comme je l'avais soupçonné, il y a une porte à l'arrière de l'établissement : elle donne sur une allée, juste en face d'une grande benne à ordures. Malheureusement, celle-ci aussi est fermée.

Je poursuis mes recherches qui s'avèrent plus que fructueuses lorsque, sur la dernière façade de l'immeuble, je découvre une grande entrée.

Apparemment, Cash a aménagé tout un angle du bâtiment pour en faire un appartement assorti d'un garage. Ce n'est pas difficile à deviner, vu le rideau de fer caractéristique… et la moto de Cash garée à l'intérieur.

Ce qui me trouble davantage, en revanche, c'est de voir la voiture de Nash juste à côté du bolide. Ou tout du moins, une voiture qui ressemble étrangement à celle de Nash.

Une vague d'inquiétude me submerge. Je sais qu'ils ne sont pas spécialement proches, mais cela n'empêche en rien qu'ils soient en train de parler de moi : le moins que l'on puisse dire, c'est qu'ils me partagent ! De façon assez intime, même…

Prise d'une légère nausée, j'envisage de rebrousser chemin, quand à l'intérieur, une porte s'ouvre. Cash est là. Comme il se tourne aussitôt pour refermer la porte, il ne me voit pas tout de suite. Il est au téléphone, l'appareil calé entre le menton et l'épaule.

Je ne peux m'empêcher d'écouter la fin de la conversation.

—Marissa, je t'ai dit que j'étais en réunion d'affaires tout le week-end. Comment est-ce que j'aurais pu faire un truc pareil ? Je n'avais pas le t…

Il se fige à l'instant même où il m'aperçoit, debout devant la porte du garage, bouche bée, tandis que j'essaie de comprendre ce qui vient de se passer. Une question tourne en boucle dans ma tête…

Pourquoi est-ce que Cash parle à Marissa de cette façon ?

Nous échangeons un regard interminable de malaise et de surprise mêlés. Le garage est à ce point silencieux que je peux entendre la voix de Marissa répéter sans relâche le même mot…

« Nash ? Nash ! »

Au bout d'une éternité, sans me quitter des yeux, il coupe court à sa conversation.

— Je dois y aller. Je te rappelle tout à l'heure.

Et il raccroche.

Il me regarde alors pendant si longtemps que je me demande s'il va finir par parler… Mais il se lance.

— Si tu entrais un moment ? Je crois qu'on a des choses à se dire.

Mon cœur tambourine à tout rompre : je m'attendais à ce qu'il se justifie de cent façons possibles, mais non. Il aurait pu jouer un tour à Marissa, couvrir son frère pour je ne sais quelle raison ; au pire, me dire que j'avais mal compris… Quoi qu'il en soit, dans la façon qu'il a de me regarder, je comprends qu'une révélation fâcheuse approche, et qu'elle risque de ne pas me plaire.

Je me demande si je dois mettre un terme à tout ça sur-le-champ ; m'en retourner à ma voiture et partir. Ces hommes m'ont fait vivre un enfer depuis le premier jour. Si j'étais une femme sensée, je tournerais le dos et clorais définitivement ce chapitre de ma vie.

Mais je n'y parviens pas… Je n'y parviens pas, parce que la seule pensée de ne jamais revoir Cash me lacère le cœur comme une lame mortelle. Je souffre. Je me sens dévastée ; condamnée aux regrets les plus amers.

J'acquiesce et avance d'un pas gauche jusqu'à la porte qu'il tient ouverte.

J'ai l'impression de monter à l'échafaud.

J'ai le cœur brisé et je peux dire adieu à la confiance que je lui accordais…

Et cela ne saurait être plus juste.

30

CASH

MON CŒUR S'EMBALLE. LA SEULE PERSPECTIVE DE RÉVÉLER LA vérité à quelqu'un, de dévoiler mes secrets les plus sombres m'effraie au plus haut point. Je ne sais pas trop pourquoi je m'apprête à tout raconter à Olivia. Tout ce que je sais, c'est que je vais le faire ; que je dois le faire. Si je veux qu'elle m'accorde sa confiance un jour, je dois commencer par lui faire confiance moi-même. Le truc, c'est que je ne comprends pas pourquoi cela m'importe à ce point. Pourquoi est-ce qu'elle a quoi que ce soit à voir dans l'équation.

Mais c'est le cas. Elle pèse même lourd dans cette putain d'histoire…

De toute façon, elle se doute qu'un truc énorme va se passer. Il suffit de la regarder : elle me donne l'impression de marcher le long d'une planche vers une mer infestée de requins. Cette image n'est pas anodine : ma famille doit partager quelques gènes avec les squales…

Je prête à peine attention au bordel que j'ai laissé dans l'appart. Quand je suis rentré de chez Olivia, je me suis débarrassé de mon costard et l'ai laissé traîner là, avant de remettre mes vêtements et d'aller fermer la boîte. Après ça, je me suis écroulé tête la première sur mon pieu et j'ai pioncé comme un loir jusqu'à ce que Jake me rapporte la caisse d'Olivia. La double vie, c'est un truc de lève-tôt…

Et me voilà, maintenant, sur le point de révéler à quelqu'un –à une femme que je connais depuis quelques jours à peine–, mon secret le plus intime, le plus noir et le plus dangereux. Tout ce qui me tracasse, c'est de savoir si après ça, elle acceptera de me revoir… Je crois que je déraille complètement…

— Tu veux boire quelque chose? Je viens d'éteindre la machine; le café est encore chaud.

Elle balaie la pièce d'un regard perdu, occupée qu'elle doit être à tenter d'agencer les pièces du puzzle. Elle l'ignore, mais elle n'a pas la moindre chance d'y parvenir, quand bien même elle aurait mille ans pour y réfléchir. Son seul salut, c'est que je me confesse.

— Je t'en prie, Olivia, installe-toi sur le canapé. Je t'apporte un café, et on discute…

Le fait qu'elle ait probablement plus encore besoin que moi d'avoir cette conversation en dit long sur l'étendue de mon trouble intérieur. Je remplis deux mugs de café, puis mets de l'eau chaude dans le carafon. Je le laverai plus tard. Je m'occupe de moi depuis assez longtemps pour que ces petits trucs de grand-mère soient devenus des réflexes.

Je lui tends un mug et m'assieds sur une chaise en face d'elle. Je n'ai pas envie de l'étouffer et de rendre plus indigeste encore ce que je m'apprête à lui annoncer. Après ma révélation, elle aura probablement besoin d'un peu d'air…

À ma grande surprise, c'est elle qui parle la première. Je ne sais même pas pourquoi cela m'étonne, d'ailleurs : de toute évidence, elle a du cran. Elle n'est pas du genre à chercher la merde, mais quand il faut foncer, elle a tous les atouts pour le faire, et elle n'hésite pas.

Et là, il faut foncer.

— Je déteste les faux-semblants. Je déteste les mensonges. Dis-moi ce qui se passe. Je veux la vérité.

Je lis une détermination farouche sur son visage. Elle est prête : s'il est un moment opportun pour dégainer, c'est maintenant.

— Tout ce que je te demande, c'est de me laisser une chance de tout expliquer. Ne file pas avant d'avoir entendu toute l'histoire, OK?

Elle n'acquiesce pas immédiatement, et cela me rend nerveux, mais, quand elle finit par hocher la tête, je sais qu'elle ira jusqu'au bout.

—OK.

L'espace d'une seconde, je me demande s'il est nécessaire de lui dire combien il serait désastreux qu'elle répète ce que je m'apprête à lui révéler, mais, finalement, je n'en fais rien. Cela reviendrait à lui envoyer d'emblée en pleine face que je n'ai pas confiance en elle. Ce qui est le cas, d'ailleurs : jamais je n'ai fait suffisamment confiance à qui que ce soit pour lui révéler mon histoire.

C'est naturel, non, d'être un minimum méfiant ?

—Je suis Cash...

Olivia me dévisage quelques secondes. J'imagine combien elle doit se torturer l'esprit à essayer de comprendre...

—Ça, je le sais, réplique-t-elle d'une voix posée. Ce que je veux que tu me dises, c'est pourquoi tu te faisais passer pour Nash, au téléphone.

—Parce que je suis aussi Nash.

Elle se fige et son regard devient vide ; totalement absent. Je viens ni plus ni moins de court-circuiter son esprit. Sa raison tout entière...

—Qu'est-ce que tu essaies de me dire ?

Je me doute qu'elle ne pourra jamais rien y comprendre si je ne lui explique pas toute l'histoire... depuis le début.

OK, c'est parti...

—Quand il était plus jeune, mon père s'est acoquiné avec des types pas très nets. Il cherchait à se faire quelques billets de plus pour couvrir les besoins de sa famille. Ils étaient très pauvres. Et puis, il a rencontré ma mère.

Je ne peux m'empêcher d'avoir un rire amer.

—Apparemment, une fois qu'on se lie à ce genre de personnes, on ne peut jamais vraiment s'en défaire... Il devait savoir qu'il n'y avait pas vraiment moyen de leur échapper, de quitter le milieu, mais il a quand même tenté le coup. Alors, ils ont décidé de lui donner une bonne leçon. Le truc, c'est que quand ce genre de types veut faire passer un message, ils… ne lésinent pas. Ils frappent fort. Ils dévastent. Dans ce cas précis, ils avaient décidé de saboter son bateau.

Olivia m'observe attentivement, sans rien dire. Croit-elle un traître mot de ce que je raconte ? Il est de toute façon trop tard pour faire machine arrière. Je vais tout lui raconter, et tout de suite. C'en est fini des mensonges.

— Nous étions sur le point de partir en vacances en famille. C'était pour Noël… L'idée, c'était juste de se mettre au vert quelques jours ; rien d'incroyable. Ma mère et mon frère étaient partis un peu avant nous pour récupérer quelques courses… Ils se sont retrouvés sur le bateau plus tôt que nous. Plus tôt que mon père. Et ça a sauté… Ils sont tous les deux morts dans l'explosion.

Pendant deux bonnes minutes, le visage d'Olivia ne trahit pas la moindre émotion. Je reste silencieux, le temps qu'elle digère tout ce qu'elle vient d'entendre. Lorsqu'elle a pris la pleine mesure de l'information, je le remarque aussitôt : elle devient pâle comme un linge en une seconde à peine.

— Ton frère et toi… vous étiez jumeaux ? Nash, c'était son vrai nom ?

— Oui.

Elle soupire. Sa respiration est tremblotante, autant que ses mains qu'elle triture nerveusement.

— Donc… Il y a bien eu un Nash, mais je ne l'ai jamais rencontré, conclut-elle d'une voix calme.

Trop calme, peut-être.

— Exactement.

— Et pendant tout ce temps, tu t'es fait passer pour lui ?

— Oui.

— Pourquoi ?

— Les types avec lesquels mon père s'était brouillé l'avaient menacé juste avant de faire sauter le bateau. Ils l'avaient prévenu que s'il les balançait, ils tueraient tous ceux qu'il avait connus, tous ceux qu'il aimait. À ce moment, ils ne savaient pas que ma mère et Nash étaient à bord. On a tenté de prévenir ma mère, en vain. Le temps qu'on arrive, il y avait déjà des bouts d'engin calcinés aux quatre coins de la baie… Bien sûr, les crevures avaient fait en sorte de laisser derrière eux tout un tas d'indices qui incriminaient mon père… Qui laissaient supposer qu'il avait négligé l'entretien du bateau.

» Finalement, en plus de devoir surmonter la mort de ma mère et de mon frère, on a vécu dans la certitude que mon père finirait en prison, au minimum pour homicide involontaire. Double homicide… C'est à cette période que j'ai décidé d'endosser les deux rôles : Nash encore en vie, mon père n'aurait eu à assumer légalement que la mort de ma mère ; la mort d'une seule personne. Je ne voyais pas quoi faire de plus pour l'aider, mais je me disais que c'était mieux que de ne rien faire. Alors j'ai mis mon plan à exécution… D'une certaine façon, on a été chanceux qu'il ne reste plus grand-chose de leurs corps…

— Et c'était il y a combien de temps, tout ça ?

— Sept ans. En décembre de ma dernière année de lycée.

Elle me lance un regard suspicieux. Incrédule, aussi, mais surtout suspicieux.

— Et en sept ans, personne ne s'est douté de rien ? Comment est-ce que c'est possible ?

Une fois encore, je laisse échapper un rire amer. La suite devrait lui plaire…

— Tu avais raison sur mon compte : j'ai toujours été le bad boy des deux ; le rebelle. J'ai quitté le lycée dès la première année : je voulais diriger ce club que mon père venait d'acheter, et je savais que je n'aurais pas besoin de diplôme pour ça.

Elle lève un sourcil.

— Ce club… Tu veux dire l'*Hypnos Club* ?

Je hoche la tête.

— Nash a toujours été le bon garçon, sportif, honnête et propre sur lui. Il était destiné à aller loin, et tout le monde le savait. Personne ne doutait de lui ! Pas une seule seconde, on n'aurait pu soupçonner que c'était moi qui allais en cours à sa place. Moi qui prenais le chemin de l'université, moi qui y entrais… Personne n'attendait quoi que ce soit de moi… si ce n'est une vie de malfrat de bas étage, sur les traces de mon père. Tout ce que j'avais à faire, c'était me pointer à une fête ou deux, me montrer à l'occasion pour qu'on n'oublie pas que moi aussi, j'étais en vie, et, le reste du temps, tous les regards étaient braqués sur Nash. Ça a été affreusement plus simple que tu peux l'imaginer : les gens crevaient d'envie de m'oublier…

Impossible de défaire ma voix de cette amertume enfouie en moi depuis si longtemps. C'est comme si je voulais qu'elle la remarque. Comme si le fait qu'elle en soit consciente pouvait rendre la douleur plus supportable. J'ignore pourquoi j'ai l'impression que cette fille représente à mes yeux une sorte de salut, mais ce n'en est pas moins le cas. Je vois… une lumière en elle. Un espoir.

—Et depuis tout ce temps, tu mènes deux vies totalement différentes en parallèle. Tu mens au monde entier, police comprise.

Ses mots me perforent littéralement les entrailles.

—Oui.

Je crois que le dégoût que je lis sur son visage est la douleur la plus affligeante que j'aie jamais éprouvée.

—Mais pourquoi ? Comment est-ce que tu as pu faire ça ? Comment est-ce que tu as pu mentir ainsi aux vivants et salir le souvenir des morts ?

Je me sens las, tout à coup, comme si le poids d'une vie entière de mensonges pesait soudain sur ma poitrine.

—Cette explosion m'a tout pris. Les seules personnes que j'aie aimées un jour, on me les a prises. Ma vie entière a été pulvérisée en une fraction de seconde… Je crois que j'ai simplement voulu honorer leur mémoire.

—Tu appelles ça honorer leur mémoire ?

Je pince la base de mon nez entre le pouce et l'index, espérant apaiser une migraine naissante.

—C'est compliqué à expliquer… Mes deux parents ne souhaitaient qu'une chose : que Nash et moi fassions quelque chose de notre vie. N'importe quoi qui ne ressemble pas au chemin emprunté par mon père. Nash était brillant, il avait l'avenir pour lui. Tellement plus que moi! Il y avait comme une injustice à ce que ce soit lui qui se trouve sur ce bateau quand il a explosé… J'ai fait ce que j'ai pu pour que mes parents –vivants ou morts–, soient fiers de moi, et pour offrir à Nash la réputation et la renommée qu'il méritait. Celles qu'il aurait acquises s'il avait vécu.

Olivia reste totalement silencieuse. Cela m'inquiéterait si je ne décelais pas dans ses yeux scintiller une étincelle de compréhension et de compassion. Douce et bienveillante comme elle l'est, peut-être comprendra-t-elle ce qui m'a poussé à agir ainsi. Je dois simplement m'assurer qu'elle ne passe à côté d'aucun détail.

—Qui plus est, je me suis dit qu'en décrochant un diplôme de droit, je serais peut-être en mesure d'aider mon père…

Olivia semble quelque peu ravivée par cette dernière information. Je ne suis pas surpris que l'appel de la justice réveille quelque chose en elle. C'est une bonne personne. Je ne la mérite pas. Nash aurait mérité une femme comme elle. Moi non.

Et pourtant, je ne supporte pas de la savoir loin de moi.

—Tu croyais vraiment pouvoir changer les choses?

Je hausse les épaules.

—Je l'ignore, mais ce qui est sûr, c'est que je fais tout pour. C'est l'une des principales raisons pour lesquelles j'ai cherché à entrer dans une boîte aussi influente que celle de ton oncle.

—Ils sont au courant? Pour ton père, je veux dire…

—Oui. Comme je ne pensais pas pouvoir garder l'info secrète bien longtemps, j'ai décidé d'en parler à une poignée d'élus. Qui plus est, ils savent ce à quoi j'aspire; que je veux l'aider à gagner son procès en appel. En observant nos associés et en m'impliquant dans les affaires de la boîte, j'ai appris énormément.

Olivia acquiesce et hoche la tête en silence pendant d'insupportables secondes. Toutefois, dès qu'elle prend la parole, je me dis que l'attente en a valu la peine.

La tête baissée, elle regarde ses doigts; je ne sais pas si elle ne veut pas que je lise dans ses yeux qu'elle veut s'impliquer, ou si elle-même l'ignore encore. Quoi qu'il en soit, je suis si intimement soulagé de ne pas avoir à croiser son regard. Et puis, ces mots parlent pour elle :

— C'est dangereux ?

Je souris.

— Non, je ne crois pas. Mon père n'a rien dit depuis l'accident. Je pense qu'ils ont lâché prise. Je l'espère en tout cas.

— Comment ça, il n'a rien dit ?

Je marque une pause, le temps de trouver mes mots.

— Disons que… Il mourait tellement d'envie de quitter le milieu qu'il a opté pour une solution aussi radicale et idiote qu'efficace pour regagner sa liberté.

— À savoir ?

Je respire profondément.

— Le chantage.

Elle reste bouche bée.

— Ton père a essayé de faire chanter la mafia ? Il n'a jamais vu *Le Parrain* ?

Je ris malgré moi.

— Il y a une légère différence entre la fiction et la réalité, mais je t'accorde que c'était totalement crétin.

J'ai la gorge nouée.

— Et il a payé cher sa bêtise. On l'a tous payée cher…

— C'était quoi, ce chantage au juste ? À moins que je fasse une bêtise moi-même en posant la question…

Elle est curieuse, certes, mais je vois à son regard qu'elle reste prudente.

— Il leur a emprunté quelques bouquins… Des livres de comptes, des registres…

Olivia soupire et s'effondre presque sur le canapé, les deux mains sur la bouche.

— Mon Dieu…, murmure-t-elle.

La stupéfaction écarquille ses yeux émeraude.

— On dirait un scénario de film ! Il les a confiés à quelqu'un ?

Je lui adresse un « non » catégorique de la tête.

— Non ! C'était toute l'idée derrière la menace de ces salauds. Si mon père les avait donnés à la police, nous serions tous morts, aujourd'hui.

— Mais du coup, qu'est-ce que tu fais pour que les choses bougent ?

— Eh bien, j'ai réussi à convaincre le père de Marissa de se charger de l'affaire. Ça me permet de jeter un coup d'œil à toutes les pièces du dossier. Malheureusement, les preuves contre mon père sont accablantes et la machination diablement bien orchestrée…

Elle glisse vers le bord du canapé et se penche légèrement dans ma direction.

— Et tu as un plan « B » ? Tu peux t'y prendre autrement ? Adopter un nouvel angle d'attaque ?

Je me racle la gorge.

— Pour tout dire, j'ai une idée, oui… Mais c'est risqué. Peut-être même très dangereux.

Elle plisse les yeux.

— Qu'est-ce que c'est ?

Je marque une pause et réfléchis avant de poursuivre. C'est la seule partie de l'histoire qui pourrait la mettre en danger… Le simple fait de savoir ce que j'ai en tête ne devrait pas lui poser de problème, mais…

Bref, je me lance.

— Les livres qu'a pris mon père… Ils sont en ma possession.

Aussitôt, ses yeux s'écarquillent et ses sourcils traduisent sa stupéfaction.

— Tu plaisantes ? Tu possèdes les livres que les mafieux voulaient récupérer au point de faire sauter le bateau de ton père ?

Je sais que nous sommes seuls, mais ma paranoïa me joue des tours, et je dois redoubler d'efforts pour ne pas jeter un coup d'œil par-dessus mon épaule.

— Oui, dis-je d'une voix maîtrisée. Je lui ai demandé de me les confier avant son arrestation. Je lui ai promis de les cacher. Certes, c'est à cause d'eux qu'il croupit en prison, mais c'est aussi grâce à eux qu'il est encore en vie. Tant qu'ils savent que les livres sont en notre possession, nous sommes tranquilles.

— Mais… comment est-ce que tu comptes les utiliser ?

— Je n'avais pas vraiment l'intention de te révéler la nature des comptes que tu allais étudier, mais c'était de ces livres qu'il s'agissait. Je les ai épluchés pendant des heures au cours des derniers mois. Son contenu comporte sans doute une preuve qui pourrait valoir à certains gros poissons de passer le restant de leurs jours en cabane. Si ce que je suspecte est avéré, il y a dans ces pages une preuve d'évasion fiscale. Associée aux nombreux autres crimes dont mon père les sait coupables, le meurtre de ma mère et de mon frère n'étant pas des moindres, on pourrait les poursuivre en vertu de lois spécifiques contre le crime organisé.

Elle reste silencieuse si longtemps que je commence à me demander si elle a compris ce que je viens de lui dire.

Mais lorsqu'elle prend la parole, je prends conscience de ce qui la décontenance le plus.

C'est ce qui me fait, dans cette histoire, passer pour l'enflure que j'ai toujours été aux yeux de ceux qui ont un jour croisé ma route.

31

OLIVIA

J'AURAIS DU MAL À DÉFINIR FIDÈLEMENT CETTE SENSATION que j'éprouve, lorsque je regarde Cash, de voir Nash apparaître. Les cheveux ébouriffés sont ceux de Cash. Les vêtements décontractés sont ceux de Cash. Certains petits gestes aussi sont typiques de lui. Mais cette façon de parler, cette métamorphose en un jeune homme brillant, intelligent, promis à une vie au barreau, cela, c'est Nash et personne d'autre. Et la transformation est vertigineuse…

Mais pas autant que son aveu, volontaire ou non.

Je m'exprime d'une voix posée, tâchant de garder mon calme.

— Ce que tu es en train de me dire, c'est que tu avais l'intention de m'impliquer malgré moi dans une histoire qui aurait pu me coûter la vie ? Tu ne crois pas que j'étais en droit de savoir dans quoi tu m'embarquais ?

Incapable de me contrôler, je me lève, furieuse. Si je reste assise, je risque d'exploser…

— En droit d'avoir le choix ?

Cash a au moins la décence d'avoir l'air gêné. Honteux. Penaud.

— Je comprends que tu considères les choses sous cet angle, mais je te jure que jamais je ne t'aurais mise en danger. J'espérais juste te montrer quelques chiffres, le code d'impôts… et avoir ton avis. Je comptais te dire que c'était pour préparer l'acquisition d'une nouvelle boîte. Je savais que si j'avais vu juste et que tu trouvais quoi que ce soit d'incriminant, j'aurais pu te faire confiance pour garder le silence. Si j'avais divulgué les infos à un expert-comptable, il aurait probablement essayé de découvrir le nom de la boîte en question pour la dénoncer. Bref, ça m'aurait totalement échappé…

Même si son explication rend le tout nettement plus digeste, je ne peux étouffer pleinement ma colère et raisonner de façon lucide. Au fond de moi, néanmoins, je sais que ce qui me blesse le plus, c'est qu'il m'ait menti. Étrangement, j'ai le sentiment qu'il n'y a rien, dans cette histoire terrible, que je ne puisse finir par assumer – à grand renfort d'alcool, de sédatifs et de quelques semaines de cogitation douloureuse, mais même, j'y parviendrai.

Mais le mensonge… J'ai toujours exécré les menteurs et, plus que les autres, ceux qui me prennent pour cible. À mes yeux, le mensonge a toujours été un péché impardonnable. Le pire de tous.

Est-ce que je parviendrais, pour Cash, à faire une première exception à mes principes, ou est-ce que cela a porté un coup fatal à ce qu'il y avait entre nous ?

— Olivia, tu dois me croire quand je te dis que je ne t'aurais jamais, je dis bien jamais, mise en d…

Je lève une main pour le faire taire.

— Arrête. Pas un mot de plus, je t'en prie… J'en ai assez entendu pour aujourd'hui. Pour le reste de ma vie, même. J'ai besoin de réfléchir à tout ça…

Cash paraît abattu. Il n'a pas l'air de redouter que je trahisse son secret. Il semble profondément accablé. Comme s'il avait tenté sa chance et s'était brûlé les ailes. J'étouffe le peu de culpabilité que je ressens à avoir piétiné ainsi sa courageuse tentative de se montrer honnête avec moi : je ne peux me permettre de faire preuve de magnanimité et de tendresse à son égard à cet instant. Je dois rester pragmatique. Rationnelle et imperméable à toute émotion parasite.

Je fais mine de chercher quelque chose dans mon sac pour éviter son regard : si je le croisais, je sais que je m'effondrerais.

— Merci d'avoir fait réparer ma voiture et de me l'avoir rapportée. Tu me diras combien je te dois.

Je me lance en direction de la porte, tâchant de ne pas partir au pas de course : cela m'aurait fait passer pour la dernière des fuyardes… Cela dit, s'il est une chose que j'aimerais faire à cet instant, c'est bien fuir. Loin. Le plus loin et le plus vite possible.

Cash ne dit pas un mot. Je ne relève la tête qu'une fois arrivée à la porte, et qu'il se tient à ma gauche. Je marque une pause : il me semble que je dois ajouter quelque chose, mais je ne sais pas quoi dire.

Je me contente donc d'ouvrir la porte et de partir. Je ne me retourne pas. Je sens les yeux de Cash posés sur moi jusqu'à ce que je disparaisse au coin de la rue.

Je n'ai jamais été du genre à sécher les cours plus que de raison. Un cours, un jour par-ci, par-là, peut-être, mais rien de bien terrible. Jusqu'à aujourd'hui.

Ce mardi matin ne m'a pas apporté l'apaisement que j'espérais. Pour tout dire, entre mon temps de sommeil insignifiant – une fois de plus –, et le chaos qui envahit mon esprit, j'ai presque l'impression d'être tombée malade. Quand mes yeux se posent sur le bouquet de fleurs que m'a offert Nash, j'en ai presque la nausée.

— Cash, dis-je à haute voix, me corrigeant une centième fois.

Comme cela avait été le cas toute la journée d'hier et jusque tard dans la nuit, je revis l'humiliation de ce qui s'est passé entre Cash et moi lorsque je croyais encore qu'il était Nash. Ce que je lui ai dit, ce que j'ai fait ; ce que nous avons fait… ou n'avons pas été loin de faire. Combien je m'étais torturé l'esprit à essayer de déterminer lequel des deux frères s'était introduit dans ma chambre…

J'oscille sans cesse entre la colère et la honte…

Comment a-t-il pu me faire ça ? Comment a-t-il pu mentir ainsi à… tout le monde ?

Je file dans la cuisine pour me préparer un café. Au moment où je passe devant mon téléphone, je vois l'écran s'allumer. J'avais activé le mode silencieux, puis l'avais posé là pour ne pas être tentée de répondre cette nuit.

C'est Cash.

Je me demande s'il va un jour réutiliser le téléphone de Nash pour m'appeler…

Je me sens aigrie au point de sentir sur ma langue une certaine amertume. Comme la demi-douzaine de fois précédentes, je ne décroche pas et me rends dans la cuisine.

Posée dans le salon à siroter mon café, j'essaie de penser à autre chose, mais tout finit toujours par en revenir à ce qui m'apparaît de plus en plus comme la principale préoccupation de mon existence… Cash.

Comment a-t-il pu s'imposer à ce point dans mon esprit et dans ma vie ? À quel instant me suis-je autant impliquée ? Comment cela a-t-il pu arriver sans que je m'en rende compte ?

La réponse est simple : j'ai toujours su que je finirais par tomber amoureuse de lui. Je ne me suis voilé la face que pour me ménager, à l'époque, mais je savais parfaitement comment ça finirait. Toujours la même histoire.

Je me sens submergée par une nouvelle vague de colère, puis celle-ci cède la place à l'amertume. Viennent ensuite la mélancolie, la solitude et la colère, de nouveau. J'en veux à Cash de m'avoir laissée ainsi me rapprocher de lui ; de m'avoir attirée comme une araignée au centre de sa toile.

Sa toile de mensonges !

Cela dit, je ne verse pas la moindre larme. Heureusement : pleurer épuise le corps comme l'âme. La colère, elle, est un précieux moteur…

Peut-être que je ne pleure pas parce que la balle est dans mon camp. Parce que je sais que tout ce qui me reste à faire si je veux le retrouver, ne serait-ce que quelques minutes, c'est décrocher mon téléphone et répondre à l'un de ses nombreux messages.

Prise au piège d'une autre toile de mensonges…

D'une relation sans avenir.

32

CASH

J'APPUIE SUR LE BOUTON ROUGE DE MON TÉLÉPHONE. LA symbolique est drôle. Pathétique aussi : est-ce que j'ai saboté mes chances d'être un jour avec Olivia ?

D'ailleurs, est-ce que cela me ferait vraiment de la peine ?

Les réponses à ces questions sont « Je l'ignore » et « oui ». Dans cet ordre-là.

J'étais convaincu qu'il valait mieux tout révéler à Olivia. Je pensais qu'une personne comme elle apprécierait l'intention et le poids symbolique de ma confession. Mais peut-être me suis-je fourvoyé... Jamais je ne me suis attaché à une fille comme elle...

Je ne me suis même jamais attaché à la moindre fille, merde !

Pas de cette façon, en tout cas.

J'ai du mal à me retenir de fracasser mon téléphone contre un mur. La balle est dans son camp. C'est à elle de décider de la suite des événements, et la seule chose que je puisse faire, c'est attendre et accepter son choix. Parce qu'une chose est sûre : je ne la supplierai pas. Jamais je ne me mettrai à genoux devant une femme. Sous aucun prétexte.

Jamais.

33

OLIVIA

LE MARDI S'ÉCOULE LENTEMENT, MOLLEMENT, CÈDE LA PLACE au mercredi. La colère et l'amertume à la déprime, se muant peu à peu en désolation. Je suis convaincue que Cash était l'homme de ma vie : je voulais qu'il soit un peu plus comme Nash, mais il l'était. Plus que je pouvais l'imaginer. Il a chamboulé sa vie pour devenir quelqu'un et honorer la mémoire de son frère ; pour rendre son père fier de lui et lui venir en aide. Il s'est sacrifié au nom de sa famille. En somme, il est le mélange parfait du bad boy et du gendre idéal. Il est à la fois ce que j'ai toujours désiré, et ce dont j'ai toujours eu besoin — le tout emballé dans un corps d'une incroyable beauté et d'un sex-appeal hors du commun.

Lui-même revêtu d'une armure de mensonges et de faux-semblants…

Si ce n'est pas la mascarade du siècle… Je sais à quoi m'en tenir, maintenant.

34

CASH

« Il ne faut jamais dire jamais. »

L'adage n'est pas si con. J'ai dit que je ne supplierais jamais une femme sous aucun prétexte, et c'était proprement ridicule. Nous sommes vendredi – seulement vendredi ! – et j'ai déjà perdu le compte du nombre de coups de téléphone que j'ai passés à Olivia. Je devrais en être gêné, d'ailleurs.

Mais je ne le suis pas le moins du monde.

Je ne suis pas gêné, je suis désespéré. De plus en plus chaque jour. J'angoisse à l'idée de la perdre. Le problème, c'est que je ne sais pas ce que je suis censé faire, maintenant. Je détesterais succomber à mon envie de me rendre chez elle pour la pousser à me parler, mais je sais que je vais finir par le faire. Honnêtement, je crois que je serais capable de tout pour elle. Pour la voir, pour lui parler, la toucher, la savourer encore…

Cash, tu es dans la merde…

35

OLIVIA

JEUDI. L'ÉCRAN DE MON TÉLÉPHONE CLIGNOTE DE PLUS EN plus régulièrement. Je m'assure juste que ce n'est pas mon père qui appelle, mais ce n'est jamais le cas. Chaque fois que je prends de ses nouvelles, il m'assure que tout va bien et me promet qu'au besoin, il me passera un coup de fil. Mais il ne le fait jamais.

Peut-être que je devrais rentrer à Salt Springs quelques jours. Laisser les cours de côté quelque temps. M'éloigner de cette vie, de mon cœur blessé… de Cash.

Marissa rentre dans quelques jours. Que se passera-t-il quand elle sera de retour ? Le faux Nash fera-t-il toujours partie de sa vie ? Lui rendra-t-il toujours visite ? L'embrassera-t-il ? Lui dira-t-il qu'il l'aime ? Avait-il prévu un avenir à ses côtés ? Qu'en est-il aujourd'hui ?

Ces pensées, une fois de plus, mettent mon esprit et mon cœur au supplice. D'un côté, je me doutais que Nash couchait avec Marissa… Je veux dire, ils sortaient ensemble… bien sûr qu'ils s'envoyaient en l'air. Mais Cash… Pour moi, il n'était attaché à personne d'autre que moi. J'étais la seule femme dans sa vie. Pour quelques jours au moins. Autant qu'il en faut à ce genre de types pour se lasser.

Quand je pense qu'il n'a fait que me mentir.

Depuis le début, il m'a menti…

N'est-ce pas ?

36

CASH

JE PRENDS LE CHEMIN DÉSORMAIS FAMILIER DE LA PRISON. JE suis complètement paumé. Je n'ai plus qu'une cartouche avant de débouler chez Olivia : aller parler à mon père. Cela fait quelques jours que j'ai pris conscience de ma folie. J'espère qu'il sera de bon conseil ; qu'il saura me guider. J'ai besoin de toute l'aide possible, or, à part Olivia, il n'y a qu'une personne sur cette Terre à savoir précisément ce qui se trame.

J'ai appris par cœur les heures de visite depuis des années. Parfois, je viens voir mon père en tant que Cash, parfois en tant que Nash. Je n'ai jamais essayé de dissimuler le passé de ma famille aux pontes d'Atlanta : je me suis contenté d'aborder différemment la situation en fonction du frère que j'incarnais.

Quand je suis Nash, j'adopte l'attitude d'un fils aimant qui emprunte la voie de la légalité et du droit pour tirer son père d'affaire.

Quand je suis Cash, je... ne fais pas grand-chose. Je me contente de gérer l'*Hypnos* – ce club qu'il a acheté avec de l'argent douteux acquis auprès de personnes douteuses –, et d'en faire un établissement respectable et rentable. Rien de plus, en somme, que ce que pourrait faire un gamin sans diplôme. Rien de plus que ce à quoi les gens qui me connaissent pourraient s'attendre d'un type comme moi. En résumé : j'incarne ce branleur de Cash, sans la moindre fausse note.

Le truc, c'est qu'au fil des jours, au fil des mois et des années, je crois que je suis devenu quelqu'un d'autre… une sorte d'hybride. Lassé de n'être qu'un loser aux yeux du monde, j'ai commencé à savourer la respectabilité que m'offrait mon second visage. J'aime sentir qu'aux yeux du monde, maintenant, je peux être quelqu'un, et que mon opinion compte. J'aime qu'on reconnaisse mon intelligence sans que j'aie eu à lutter, en vain qui plus est, pour la faire valoir. J'aime être ce type brillant qu'était mon frère.

Sauf que je ne suis pas mon frère. Cette respectabilité, cette reconnaissance, cette victoire sur la vie, ce sont les miennes. Certes, sa mort m'a donné une nouvelle chance, mais toutes ces choses, je les ai gagnées, moi et moi seul. Je les ai méritées.

Et de toutes les personnes présentes sur cette Terre, je serai toujours le seul à le savoir. Ainsi que mon père.

Et Olivia.

Les gardes me laissent entrer, je m'identifie en remplissant la fiche de visite, la signe, puis indique quel est le prisonnier à qui je viens rendre visite. Une fois ces formalités terminées, ils me guident jusqu'à cette pièce que je ne connais que trop, avec sa longue table coupée en deux par cette vitre frustrante. Sur toute la longueur, elle est divisée en box censés donner une vague illusion d'intimité. Mais ici, l'intimité n'existe pas. Je sais pertinemment que tout ce que ma bouche déverse dans le combiné de ce maudit téléphone noir est dactylographié et stocké quelque part. Par chance, mon père étant innocent, nous ne risquons pas de trahir quelque secret que ce soit concernant son procès. Pour le reste, il ne nous est pas difficile d'être suffisamment évasifs pour que personne ne puisse saisir le fond du propos.

Comme aujourd'hui, après qu'un garde l'a fait venir et qu'il s'assied devant moi.

Il me sourit.

— Alors, qui me rend visite, aujourd'hui ? Cash ou Nash ? Il me faut plus que des vêtements pour vous différencier.

Je baisse les yeux vers ma tenue réunie à la hâte. Pour moi, en tout cas, elle est plutôt du genre passe-partout. Jean noir, tee-shirt de rugby à rayures : Cash comme Nash pourrait porter ce genre de choses. Ou aucun des deux. Je ne sais pas… D'ailleurs, je ne me souviens même pas avoir acheté ce tee-shirt.

— C'est vraiment important ? dis-je, un petit sourire aux lèvres.

Il sourit de nouveau. Ses yeux étudient mon visage, comme chaque fois que je lui rends visite. Il semble vouloir y déceler toute trace de changement, de vieillissement. De détresse, aussi. Lorsque son sourire s'estompe, je comprends qu'il en a trouvé.

Il se redresse légèrement, et son regard se fait plus scrutateur ; plus attentif. Plus vigilant.

— Qu'y a-t-il ? Il t'est arrivé quelque chose ?

— J'ai rencontré une fille.

Il fronce les sourcils, adoptant ce rictus que tout le monde décrit comme une version plus mature du mien. Puis, son visage se radoucit, et sa bouche esquisse un sourire éclairé.

— Eh bien, tu auras mis le temps ! me taquine-t-il sans méchanceté aucune.

Il s'adosse à sa chaise et frappe la table de la main. Il est heureux pour moi. Sincèrement heureux. On verra s'il l'est toujours quand il en saura plus…

— Je lui ai tout raconté, papa, lui dis-je, de marbre.

Il paraît quelque peu troublé, puis, lorsqu'il a pris pleinement conscience des conséquences de la chose, il reprend la parole.

— Depuis combien de temps est-ce que tu la connais ?

Je secoue la tête. Je vois où il veut en venir. Il est incapable de se départir de sa méfiance…

— Peu importe papa. J'avais besoin de le lui dire. Je tiens à elle. Et je lui fais confiance. Et puis, j'ai pensé qu'elle pourrait nous aider.

— Je ne suis pas sûr que le fait que tu l'as embringuée là-dedans soit particulièrement révélateur de tes sentiments pour elle…

— Je m'arrangerai pour qu'elle soit en sécurité. Jamais je ne la mettrais en danger.

— Tu l'as déjà fait. Tu es mon fils : tu es condamné que tu le veuilles ou non. D'ailleurs, jamais tu ne pourras imaginer combien j'en suis désolé… Pour autant, personne ne peut changer le passé : tant que je serai en vie, tous ceux que tu inviteras à partager quelques lignes de cette histoire seront en danger. Lorsque j'aurai cassé ma pipe, par contre…

—Hors de question que je joue cette carte-là, papa. Je ne te laisserai pas mourir dans ce trou, pas plus que je mettrai ma vie entre parenthèses à cause d'erreurs, si fâcheuses soient-elles, commises il y a des années. On a été assez punis comme ça. Il est temps qu'on retrouve une vie normale. Je crois que j'ai trouvé un moyen…

—De te faire tuer. C'est ça que tu as trouvé. Arrête de te mêler de choses qui ne devraient même pas te traverser l'esprit, Cash. Je ne t'ai cédé ce que je t'ai cédé que pour t'assurer de vivre enfin en paix. Rien de plus.

—Je suis désolé, papa, mais j'en ai ma claque de laisser d'autres personnes que moi ruiner ma vie. Ce n'est plus possible. Tu es tout ce qui me reste, alors ne compte pas sur moi pour me tourner les pouces en attendant que tu meures.

—On en a déjà parlé, fiston. J'apprécie ce que tu essaies de faire, mais je ne crois pas que ce soit très av…

—Tu ne peux pas essayer de me faire confiance, papa ? Pour une fois dans ta vie, est-ce que tu me crois capable de prendre les choses en main ? De faire les bons choix ? De mener à terme des années de préparation ?

Il se radoucit.

—Ce n'est pas que je ne te fais pas confiance… C'est que, toi aussi, tu es tout ce qu'il me reste. Je t'ai condamné à une vie de misère, et tout ce que j'espère, c'est que tu pourras vivre heureux, mener une existence normale. Celle que tu aurais eue si c'était moi que les flammes avaient emporté.

—Papa, sois sûr d'une chose : jamais je ne serai heureux en sachant que tu dépéris ici.

Il sourit.

—Dépéris ?

—La fac de droit m'a permis d'étoffer pas mal mon vocabulaire.

Je ris doucement.

Mon père s'apprête à parler, puis se ravise.

—Quoi donc?

—J'allais te dire que j'étais fier de toi bien avant que tu entres en fac de droit. Depuis que tu es gosse, tu assumes pleinement ce que tu es. Il n'y avait aucun doute en te voyant que, quels que soient les caprices de la vie, tu l'enverrais chier pour faire ce que tu voulais. Rien ni personne ne pouvait t'arrêter, et j'ai toujours été fier de ton caractère inflexible. Ta confiance en toi, ton assurance, je les ai toujours admirées.

Je sens l'émotion comprimer ma trachée comme une main rageuse. Je crois qu'il n'y a pas d'âge pour être bouleversé par la reconnaissance d'un père... En tout cas, c'est ce que je ressens à cet instant précis.

—Cash, s'il te plaît, ne laisse pas cette détermination farouche te jouer des tours aujourd'hui. Ne la laisse pas décider pour toi ce que tu vas faire de ton avenir. Il y a un temps pour tout, particulièrement pour lâcher prise et passer à autre chose lorsque la vie se fait trop dure. Si tu tiens à cette fille, va la retrouver et rends-la heureuse. Prends soin d'elle et tiens-la éloignée du danger. Offre-lui une vie à l'abri de ce merdier. Repars à zéro, mon fils. Et si tu éprouves pour elle ne serait-ce que le dixième de ce que j'ai éprouvé pour ta mère, alors tu mèneras une vie heureuse. Et ça, c'est tout ce que je te demande...

—Halte là! Je n'ai jamais dit que je l'aimais...

Il me sourit.

—Disons plutôt... que tu n'as pas eu besoin de l'avouer.

37

OLIVIA

VENDREDI MATIN, JE ME FORCE À ALLER PRENDRE UNE douche : je commence à trouver aussi ignoble que pathétique d'y avoir renoncé pendant toute une semaine.

Et aujourd'hui, je laisse tomber le pathétique. Cela fait assez longtemps que je me morfonds. Il faut que je fasse quelque chose, alors c'est décidé : je rentre à Salt Springs pour le week-end. Je vais appeler Tad en chemin et savoir si je peux le dépanner quelques heures… Après ça, je rentrerai à Atlanta et réfléchirai à la suite de… de ma vie, en fait…

Rien que de penser au fait que je vais devoir rentrer et me confronter à Cash, à Marissa, à l'école et à tout ce qui fait mon quotidien ici me donne le vertige. Je décide donc de ne pas y penser et de consacrer ce week-end au familier, au confort… À la sécurité.

Je ne pensais pas que le monde en dehors de Salt Springs se montrerait un jour aussi hostile…

Je remplis un sac du minimum vital, sors de la maison et ferme la porte derrière moi. Marissa absente et Cash/Nash balayé de l'équation, je me sens totalement déconnectée d'Atlanta. De ma vie. De chez moi… J'ai l'impression de ne plus avoir ma place ici, dans cette prison de mensonges et de rêves brisés. Le seul endroit qui me donne encore l'impression de pouvoir m'accueillir sans heurt est celui vers lequel je roule.

En chemin, je contacte mon père et Ginger. Cette dernière est assez adorable pour m'offrir quelques-unes de ses heures de boulot, et j'accepte sa proposition avec soulagement. En revanche, pas le choix : ce sera ce soir. Voyons le bon côté des choses : je pourrai me changer les idées sitôt arrivée. Demain, je partirai traquer quelques agneaux de plus à la ferme, même s'il n'y a plus vraiment de raison de le faire. Je pense que ça me fera du bien de me retrouver un peu dehors, à l'air libre, et de m'absorber dans une tâche mécanique n'impliquant aucun effort mental.

Aucune souffrance.

Aucun désir.

— Hé, Canaille ! lance mon père pour m'accueillir.

En le voyant, je n'ai qu'une envie : courir vers lui, passer mes bras autour de son cou et pleurer sur son épaule, comme quand j'étais gamine. Mais plutôt que de céder à la tentation et de le faire totalement paniquer, je pose mon sac sur le sol, m'approche de lui, dépose un baiser sur sa joue, puis lui demande comment il se porte.

Je passe la journée à regarder la rediffusion d'un marathon tout en discutant de tout et de rien avec mon père. Cela ne me suffit pas à chasser Cash de mon esprit, mais, comme je l'espérais, ça me permet quand même de me changer un peu les idées.

Je me douche, puis me prépare pour mes quelques heures de service, revêtant avec plaisir mon short et mon tee-shirt noir ; même la sensation purement physique est agréable… J'aide ensuite mon père à s'installer pour la soirée, puis roule jusque chez Tad.

Tout le monde au bar est plus qu'adorable, et pour cause : les habitués sont tous ravis de me retrouver. Plus d'une fois, j'ai les larmes aux yeux lorsqu'un client régulier me demande de reprendre du service à Salt Springs et me dit que mon nouveau boulot ne me procurera jamais autant de plaisir que j'en trouve ici. D'une certaine façon, ils ont raison. Mais il y a une chose qu'ils ignorent : dans le nouveau bar où je bosse, il y a Cash.

Cash.

Ginger finit par se pointer. Pas pour bosser: elle est juste là pour m'assurer un soutien de l'autre côté du comptoir. Patiente, elle sirote sa boisson et attend que le rythme des commandes s'atténue avant de commencer à m'interroger.

—Laisse-moi deviner: tu n'es pas tombée sur un mauvais garçon, mais sur le pire des garçons?

Je ris. Jaune, certes, mais je ris tout de même.

—Quelque chose dans ce goût-là, oui…

—C'est bien ce que je me disais…

Je m'arrête aussitôt de remplir le frigo de canettes de bière et me retourne vers elle, bouche bée.

—Ah bon? Et tu n'aurais pas pu m'en parler?

—Dès que je l'ai vu, j'ai senti que c'était un nid à emmerdes. D'abord ce mec est canon, mais en plus il est futé. Ce n'est pas une combinaison gagnante pour ton petit cœur, Liv. Je veux dire, les précédents formaient une belle brochette de pauvres types décérébrés, mais lui… Je savais que s'il te mettait le grappin dessus, il y aurait du dégât.

Je n'ai qu'une envie: la gifler de toutes mes forces.

—C'est sympa de m'avoir prévenue, Ginger.

J'essaie d'avoir l'air ironique, mais je sais que j'ai totalement échoué à dissimuler ma colère.

—Tu crois vraiment que tu m'aurais écoutée si je t'avais mise en garde? Non. Tu n'en fais qu'à ta tête. Tu savais très bien que tu aurais dû garder tes distances avec ce mec. Tu crois vraiment que j'aurais pu te dire quoi que ce soit qui t'aurait fait changer d'avis?

J'ai beau ne pas avoir envie de l'admettre, elle a probablement raison. Cash m'a hypnotisée dès notre première rencontre. Nash également. Notamment parce qu'ils n'étaient qu'une seule et même personne avec des jobs différents et des looks opposés. Cela dit, je pense qu'au plus profond de moi, je le savais. Mon corps le savait… Il réagissait de la même façon à leur présence, au contact de leur peau… Sexuellement, ils me stimulaient autant l'un que l'autre, et de la même façon: un exploit compte tenu de leurs caractères si différents. Alors pourquoi ne l'ai-je pas compris plus tôt ? Comment ai-je pu être aveugle à ce point ?

Tandis que je range les dernières canettes dans le frigo, j'aperçois du coin de l'œil quelqu'un s'installer sur un tabouret à côté de Ginger. Je lève les yeux et me fige, l'avant-bras encore dans le réfrigérateur.

Cash.

Il ne me sourit pas. Il ne dit rien. Il se contente de river les yeux sur moi. Je me demande si c'est son cœur que je vois battre dans ses yeux, ou si je divague une fois de plus. Quoi qu'il en soit, je m'efforce de ne pas y prêter attention. Je ne lui fais plus confiance.

Je reste silencieuse. Je termine ce que j'étais en train de faire, ramène la caisse dans la réserve, reviens, puis lui sers un Jack Daniels. Sec. Je lui passe le verre, et il me glisse un billet que j'encaisse avant de jeter la monnaie dans le pot des pourboires. Je le défie alors du regard. Je l'attends au tournant s'il ose faire le moindre commentaire. Mais il est futé… Il ne dit rien : il acquiesce et repousse son whisky d'un revers de main.

Je n'ai pas besoin de lui demander ce qu'il fait là : j'ai écouté l'un des dix ou douze messages qu'il m'a laissés, et tout ce qu'il veut, c'est une chance de me parler. Les autres messages, je les ai archivés et les écouterai à l'occasion…

Un client réputé comme étant l'un des plus fervents admirateurs de Ginger vient s'asseoir à côté d'elle et commence à la baratiner, me poussant à affronter seule les autres clients au comptoir… et Cash.

J'essaie d'occuper mon esprit avec quelques tâches sans grand intérêt, mais cela ne m'est pas d'une grande utilité.

Je n'arrive pas à détourner mon attention de Cash.

Cash.

Quand la soirée s'achève, je suis à cran : il n'a toujours pas dit un mot, moi non plus, et la tension est palpable. Insoutenable.

Lorsque Tad annonce la fermeture, Cash me considère longuement, rive son regard dans le mien, puis descend de son tabouret et quitte le bar. Je me sens exaspérée ; désespérée, aussi.

Triste et blessée. Mais, plus que tout autre chose, je brûle d'envie de lui courir après. De lui demander de rester.

Mais je n'en fais rien.

Je ne peux pas.

Je ne le ferai pas.

Comme c'est toujours le cas ici, les serveuses restent après la fermeture et attendent que Tad ait fait les comptes. Pendant ce temps, mon esprit est loin. Je ne peux m'empêcher une seule seconde de penser à Cash.

Je sors mon téléphone de ma poche et vérifie mes messages. Il n'y en a pas de nouveaux : aussi surprise qu'attristée, j'écoute au hasard l'un de ses anciens messages. Dès que j'entends sa voix, mon cœur se serre.

« Olivia, écoute… Je tiens vraiment à toi. Tu dois bien t'en rendre compte, non ? Le sentir quand je suis avec toi… OK, peut-être que je n'ai pas toujours agi comme il aurait fallu, mais essaie de te mettre à ma place, s'il te plaît. Sais-tu à quel point ça a été difficile pour moi de t'avouer tout ça, alors que je savais pertinemment que tu risquais de me tourner le dos et de ne plus jamais m'adresser la parole ? Tout ce qui me restait, c'était l'espoir que tu ne le fasses pas. Que tu ne partes pas… Mais c'est ce que tu as fait. Et… enfin… Je sais bien que je devrais respecter ton choix et te laisser partir, mais je n'y arrive pas. C'est trop difficile. »

Je l'entends soupirer à l'autre bout du fil, puis il raccroche.

J'ai la gorge nouée.

Qu'est-ce que je suis censée faire ? Ce n'est qu'un menteur ! Un enfoiré de menteur !

Au fond de mon crâne, une petite voix me souffle qu'il avait une raison un minimum valable de me mentir et que, qui plus est, il m'a avoué toute la vérité, me prouvant par là qu'il me fait assez confiance pour partager avec moi des secrets qui mettent sa vie en danger.

Mais est-ce que cela doit vraiment peser dans la balance ?

Ma conscience me dit que oui. Que cela pèse même énormément dans la balance.

J'écoute un autre message.

« OK, si c'est comme ça que tu veux la jouer, c'est parti ! J'ai fait tout ce que j'ai pu. J'ai essayé de t'aider, de te montrer combien tu comptais pour moi, mais visiblement, ça ne suffit pas ! Finalement, tu as peut-être raison. Peut-être que tu as bien fait de partir… Je ne sais pas… Je suis complètement paumé. »

J'en écoute ensuite un autre, puis un autre et encore un autre. De toute évidence, Cash est passé par un spectre infini de réactions, cherchant désespérément comment répondre à la mienne. J'ignore pourquoi, mais mon cœur se serre une fois de plus. S'il est une chose manifeste dans tous ces messages, c'est qu'il fait son possible pour recoller les morceaux. Et que c'est moi qui le rends si malheureux ; pour moi qu'il repousse ses propres limites. Je ne connais que trop bien ce sentiment : je sais ce que l'on ressent lorsqu'on tient à quelqu'un au point de se sentir désemparé…

Mais cela importe peu. Du moins, je ne devrais pas y accorder d'importance.

Pourtant, je n'arrive pas à penser à autre chose…

Mon manque de maîtrise me rend folle de rage.

Une fois que Tad a terminé ses comptes et a fermé le bar, nous quittons les lieux tous ensemble. En m'approchant de ma voiture, j'aperçois Cash sur sa moto juste à côté de ma portière. Je passe près de lui sans le regarder, entre dans ma voiture et démarre le moteur. L'espace d'une seconde, j'envisage de baisser la vitre pour lui parler, mais je me persuade de n'en rien faire.

Tandis que je m'éloigne du bar et prends la direction de chez moi, j'aperçois un halo de lumière dans le rétroviseur. La moto de Cash.

Il me suit ? Qu'est-ce qu'il a en tête ? Il veut me faire une scène sur le perron de chez mon père ? Mon père plâtré ?

Je sens ma colère m'envahir, mais je sens aussi mon cœur marteler mes côtes comme s'il s'apprêtait à s'échapper de mon corps façon *Alien*.

Les messages de Cash me reviennent en tête : ses mots, le son de sa voix, les non-dits, les aveux… Je lève une fois de plus les yeux vers le rétroviseur, vers cette lumière qui me suit inlassablement comme une ombre. Implacable. Infatigable.

Lorsque j'arrive à proximité d'une petite aire familière aménagée derrière un bosquet d'arbres sur le bord de la route, je m'y engage et freine brutalement, ce qui me vaut un grand dérapage sur les graviers. D'un geste impulsif et rageur, je coupe phares et moteur et sors de ma voiture en claquant la portière. Une poignée de secondes plus tard, Cash se gare derrière moi et fait taire son bolide à son tour.

J'avance à grandes enjambées rageuses jusqu'à lui et, tandis qu'il descend de sa moto et retire son casque, je me mets à hurler :

— Qu'est-ce que tu me veux, bordel !

Ma colère a enfin réussi à franchir la barrière de mes lèvres. Incapable de garder mon calme, je pose mes deux mains sur son torse puissant et pousse de toutes mes forces. Il bouge à peine.

— Qu'est-ce que tu cherches à faire ?

Lorsque je sens mes larmes monter, je me retourne et repars en hâte vers ma voiture. Alors que j'arrive au niveau de la portière, ses doigts enveloppent mon avant-bras comme autant de bracelets d'acier et m'empêchent d'avancer. Tout à coup, il me retourne vers lui, m'obligeant à lui faire face. Sous la lumière de la lune, je vois ses traits livides, et l'impatience qui zèbre ses yeux sombres.

— Arrête, Olivia ! Arrête ! s'exclame-t-il, excédé.

— Pourquoi ? Qu'est-ce que tu veux me dire de plus ? Tu m'as servi assez de mensonges pour toute une vie !

— Je ne compte plus te mentir ! tonne-t-il. Je ne suis même pas sûr de vouloir encore te parler… Tout ce que je veux, c'est t'entendre dire que tu ne ressens rien pour moi ; que tu veux que je disparaisse de ta vie à jamais. Alors, je partirai. Si c'est vraiment ce que tu veux… je partirai.

Je sais que ma chance est là. Jusque dans mes tripes, je sens qu'il s'exécutera si je le lui demande ; qu'il fera exactement ce qu'il vient de me promettre. Si je lui dis de partir, il disparaîtra pour toujours…

J'ouvre la bouche pour parler, mais n'arrive pas à articuler le moindre mot. J'entends sa respiration haletante, comme s'il attendait que tombe le couperet; comme s'il attendait que je le bannisse de ma vie.

Et puis, soudain, son expression colérique cède la place à une sorte de supplication silencieuse. Les yeux rivés dans les miens, il murmure…

—Je t'en supplie, ne le fais pas.

Je fouille son regard, sans trop savoir ce que j'aimerais y découvrir.

—Pourquoi?

—Parce que je ne veux pas que tu disparaisses… J'ai besoin de toi. Pas pour m'aider, pas pour aider mon père… Je m'en fous de tout ça, maintenant. Je me fous de ton aide. Tout ce que je veux, Olivia, c'est toi.

Mon cœur tambourine comme jamais dans ma poitrine. Je n'entends plus rien, ne ressens plus rien: je vois Cash devant moi, et rien d'autre. Lorsqu'il murmure de nouveau, je lis presque sur ses lèvres…

—Toi et rien d'autre…

Avant que ma raison ait le temps de m'en dissuader, avant que je ne me torture l'esprit en tentant de savoir ce que je devrais faire plutôt que de me laisser aller à ce que désire, je lui réponds d'une voix posée.

—OK…

Toute une palette d'émotions habille successivement son visage, puis, bientôt, je ne vois plus rien. Je suis dans ses bras.

Ses lèvres passionnées se pressent contre les miennes, et le monde tout autour échappe à ma perception. Je passe mes doigts dans ses cheveux, le maintiens contre moi, tandis que ses mains caressent mon dos et mes hanches.

Tout à coup, il me soulève et m'assied sur le capot de ma voiture. Brûlant de désir, il baise mon cou, déboutonne mon chemisier, s'empare de mes seins…

J'étreins sa taille fine de mes jambes, l'attire vers mon ventre brûlant. Répondant à mon appel, il se cale entre mes cuisses, durcit contre mon sexe, et je brûle de le sentir en moi.

Il défait d'une main experte le bouton et la braguette de mon short. Je ne suis plus assez lucide, alors, pour me demander si nous sommes vraiment à l'abri des regards.

D'une main, il m'invite à m'allonger sur le capot, fait glisser mon short et ma culotte le long de mes jambes. Après s'être débarrassé de mes vêtements sur la voiture, Cash dépose mes jambes pliées sur ses épaules, et enfouit son visage entre mes cuisses.

Je suis incapable de retenir des gémissements de plaisir sous les caresses de sa langue experte qui décrit des cercles brûlants autour de mon clitoris. Bientôt, il s'aventure plus bas, puis l'enfonce en moi, aussi profondément qu'il en est capable. Je sens son visage contre moi, et puis, soudain, le monde autour de lui explose en même temps que mon orgasme.

Cash recule, et je perçois le murmure plein de promesses de sa fermeture Éclair. Il s'introduit en moi, et mes spasmes redoublent aussitôt. Il prend mes cuisses et m'attire tout contre lui, mon dos toujours plaqué contre le métal chaud de ma voiture.

Je lève des yeux mi-clos vers lui et vois qu'il me toise d'un regard intense et sensuel. Il place une main entre nous, et je sursaute presque lorsqu'il vient caresser mon clitoris à fleur de peau. Mais il est doux et, bien vite, je sens naître en moi un nouvel orgasme. Je ferme les yeux, et me contente de savourer l'instant.

Béate, je passe d'un orgasme à l'autre sans plus m'en rendre compte, et sens Cash redoubler d'ardeur : il durcit encore, s'apprête à me rejoindre dans l'extase et, bientôt, par à-coups réguliers et puissants, il jouit en moi, me comble de plaisir.

J'ouvre les yeux et l'aperçois, dos arqué, tête en arrière… Cela m'excite tant de le voir jouir, de sentir mon corps l'inciter, par des caresses humides et chaudes, à me combler encore, aspirer tout ce qu'il a à m'offrir… jusqu'à la dernière goutte.

J'aimerais qu'il n'en finisse jamais de jouir en moi…

Son corps m'imprégnant encore d'ondes ardentes, Cash ouvre les yeux, prend mes mains, puis m'attire contre lui. Dans les bras l'un de l'autre, nous sommes unis comme nul autre en ce monde. Et pas juste physiquement.

Tendrement, il recouvre mon visage de baisers et mon dos de caresses. Il n'a nul besoin d'articuler ce qu'il aimerait me dire à cet instant : je le sais.

Je le perçois.

Et je ressens la même chose.

38

Cash

Les rayons d'un soleil aveuglant se glissent sous les rideaux de la chambre d'Olivia et me tirent du sommeil. Je n'aurais pas dû rester aussi longtemps chez elle, mais je voulais l'enlacer pendant son sommeil. Je voulais qu'elle sache que je ne la laisserai pas, et qu'elle était en sécurité avec moi. Dans mes bras.

Malheureusement, je me suis endormi, moi aussi : trois parties de jambes en l'air de haut vol en l'espace de quelques dizaines de minutes, ça a tendance à me faire cet effet...

Le sourire aux lèvres, je baisse les yeux vers Olivia, lovée contre moi, son visage angélique apaisé par le sommeil.

Je n'ai pas envie de mettre de mots sur les sentiments que j'éprouve pour elle. Je veux juste qu'elle sache que je ne partirai pas ; que je veux veiller sur elle et la rendre heureuse. Et j'espère que cela suffit...

Elle bouge légèrement dans son sommeil, et mon corps réagit aussitôt à sa caresse involontaire. Une chose est sûre : si je ne sors pas rapidement de ce lit, je vais finir par la réveiller... Certes, ma journée ne pourrait commencer de plus belle manière si je la commençais ainsi, mais je sais que si je ne laisse pas Olivia souffler un peu, elle va être épuisée. Qui plus est, son père va bientôt se lever : mieux vaudrait que je sois autre part que dans sa chambre à ce moment-là.

Je me détache doucement d'elle, enfile mon jean, récupère le reste de mes vêtements, puis avance à pas de loups jusqu'à la porte.

Je l'entrouvre et tends l'oreille : apparemment, son père est déjà réveillé.

Sans un bruit, je file dans la salle de bains où je prends une douche rapide, après quoi je descends, laissant Olivia se reposer aussi longtemps que possible.

Darrin, le père d'Olivia, est assis à la table de la cuisine. À sa façon de me regarder, je ne peux m'empêcher de penser qu'il m'attendait.

Je lui adresse un hochement de tête.

— Bonjour monsieur.

Il acquiesce à son tour.

— Alors, c'est toi l'élu…, dit-il, énigmatique.

Je le regarde droit dans les yeux ; des yeux bruns plus sombres que ceux d'Olivia. Je comprends aussitôt où il veut en venir. Ce qu'il veut savoir. Je me redresse de tout mon long, pose mes mains derrière mes hanches et hoche la tête une fois de plus.

— Oui monsieur.

Il m'étudie des pieds à la tête, me toise comme s'il évaluait un nouveau bélier, puis rive son regard dans le mien : inflexible, inébranlable et scrutateur, il en dit long sur ce qu'il ressent.

— Et tu sais ce qu'elle représente pour moi, ce que je suis prêt à faire pour elle. Ce que je suis prêt à faire à quiconque la fera souffrir.

Je réprime le sourire qui ne demande qu'à naître à la commissure de mes lèvres. Rien qu'à l'entendre, je sais que lui et moi ressentons des sentiments aussi intenses pour Olivia.

— Oui monsieur.

Après quelques longues secondes d'une intensité électrique, il acquiesce une fois de plus.

— Très bien. Dans ce cas, préparons un bon petit déjeuner pour cette petite…

Aussitôt, je laisse libre cours à mon sourire.

Quelques minutes plus tard, j'entends Darrin s'adresser à Olivia et, quand je me retourne, je la vois qui se tient dans l'encadrement de la porte. Son inconfort timide la rend si craquante que je dois me retenir pour ne pas la jeter sur mon épaule et la porter jusqu'à son lit.

Quoi qu'il en soit, lorsqu'elle pose les yeux sur moi, je me sens moi-même étrange. Fébrile. Retenant mon souffle, j'espère que la nuit n'a pas suscité chez elle de nouveaux doutes…

Lorsque, les joues rosies, elle m'adresse un sourire, j'expire enfin lentement, puis pars d'un petit rire guilleret. J'ignore ce pour quoi cela me rend si heureux, mais c'est ainsi…

— Bonjour, lui dis-je en posant ma spatule dans la louche posée près de la cuisinière.

Je sais que son père connaît mes sentiments pour elle, mais je crois que même si ce n'avait pas été le cas, je n'aurais pu m'empêcher d'aller à sa rencontre.

Je m'arrête devant Olivia, prends d'un geste tendre ses joues dans mes mains, puis dépose un baiser délicat sur ses lèvres. Ses yeux brillants rencontrent les miens, et quelque chose en moi s'effondre. Aussitôt, je prie pour que ce ne soit pas quelque chose d'important… Une pièce de mon armure ou de mon arsenal.

Ce que je ressens pour elle me décontenance quelque peu, alors je me contente de lui sourire et de retourner me poster devant la cuisinière, espérant qu'elle n'ait rien lu dans mon regard de mon manque d'assurance.

Le reste de la matinée se déroule sans heurt… jusqu'à ce qu'Olivia annonce que nous rentrerons à Atlanta après le repas de midi. Je lève aussitôt les yeux et croise son regard. Je n'y vois rien de menaçant, mais ils m'annoncent que tout n'est pas encore terminé…

— Déjà ? Pourquoi, Olivia ? demande Darrin.

— J'ai un ou deux trucs à faire en ville, papa.

Ses yeux se braquent de nouveau sur les miens.

— Marissa sera bientôt de retour, et j'ai quelque chose à régler…

Nous y voilà…

C'est le moins qu'on puisse dire, nous avons quelque chose à régler.

39

OLIVIA

Le retour vers Atlanta ne pourrait être plus différent que notre voyage d'aller pour Salt Springs. Je ne vois que deux choses, d'ailleurs, qui auraient pu gâcher l'instant : que mes cheveux prennent feu ou que je change subitement de sexe.

Je jette régulièrement un regard dans le rétroviseur pour y retrouver Cash qui chevauche son bolide. Comme il porte son casque, je ne vois pas son visage, mais cela ne m'empêche pas de deviner son sourire sitôt qu'il sent mes yeux posés sur lui. Parfois, il m'adresse même un mouvement de tête, comme s'il m'avait vu l'observer.

Peut-il vraiment voir mon reflet dans le rétroviseur ?

Lorsque nous arrivons devant chez Marissa, je me gare sur l'un des emplacements réservés, et Cash arrête sa moto juste à côté, coupant le moteur et retirant son casque. J'essaie de ne pas sourire en me rendant compte que pour la première fois, il va entrer avec moi sans même que j'aie à le lui proposer. C'est comme si nous avions passé un accord tacite : il est mien, et je suis sienne. Pour le moment, en tout cas ; et je me refuse à me projeter plus loin que l'instant présent.

Cash porte mon sac à l'intérieur, puis dans ma chambre. Au lieu de l'abandonner sur le sol, il le dépose sur le matelas et s'assied à côté. Avant même que je puisse lui demander ce qu'il est en train de faire, il se racle la gorge.

—Et si tu te préparais une valise plus fournie et que tu venais t'installer chez moi?

Mon ventre papillonne à l'idée de m'endormir chaque soir dans les bras de Cash et de m'éveiller chaque matin contre lui; de m'endormir avec sa saveur en bouche, et d'être réveillée par les caresses de sa langue enlaçant la mienne… Voilà ce que promet sa proposition: un rêve. Pour quelque temps du moins. Quelques jours.

Un paradis de quiétude et de plaisir…

Mais voilà que, comme c'est trop souvent le cas, la réalité déboule dans le jeu de quilles de mes rêveries, et je me mets à penser à Marissa.

—Écoute, Cash… Je comprends pourquoi tu as fait tout ce que tu as fait; pourquoi tu as menti, et pourquoi c'était aussi important pour toi, mais je ne peux pas tout à coup faire mine de ne pas savoir que tu mènes une double vie; prétendre que quand tu couches avec Marissa, ce n'est pas toi qui jouis en elle. Parce que c'est le cas… Et ce sera toujours le cas.

Cash prend mes mains et m'attire devant lui. Il lève la tête vers moi, et ses yeux noirs brillent d'un éclat étrange. Dans ma poitrine, mon cœur s'emballe sans trop que je sache pourquoi.

—J'ai rompu avec Marissa vendredi.

J'essaie de ne pas penser aux acrobaties aériennes dans lesquelles mon cœur embarque ma cage thoracique…

—C'est vrai?

—C'est vrai.

J'ai presque peur de le lui demander, mais je ne peux m'en empêcher:

—Pourquoi?

—Parce que ce n'est pas elle que je veux à mes côtés.

—Mais… tu travailles avec son père.

—Je lui ai déjà tout dit, à lui aussi.

—Vraiment?

Il se met à rire.

—Oui. J'en ai assez de toute cette merde. Je ne peux pas hurler sur les toits que Nash est mort, de fait, mais je n'en ai pas moins envie de changer de cap. Le procès de mon père en appel, mon projet de l'innocenter. Je laisse tomber. Je passe à autre chose. Dès que j'en aurai fini avec mon stage de fin d'études, je verrai si je veux vraiment d'un boulot dans cette branche. Si c'est le cas, je choisirai comment et où je voudrais l'exercer. J'en ai assez de laisser le passé dicter mon avenir.

Si ce qu'il dit me touche, je ne peux m'empêcher d'être troublée.

—Mais c'est ta seule famille… Tu n'as que lui, et il est en prison. Si tu peux l'en faire sortir, si tu as ne serait-ce qu'une infime chance d'y parvenir, tu ne crois pas que tu devrais tenter le coup ?

Il baisse les yeux vers nos mains jointes et passe tendrement son pouce sur mes phalanges.

—Pendant des années, j'ai eu l'impression de n'être nulle part chez moi…

Cash reste silencieux quelques secondes, puis il lève la tête vers moi. Son regard est doux. Chaleureux. Sincère.

—Et puis, je t'ai rencontrée. Où que je sois, quand tu es là, je me sens chez moi. Et ça, c'est plus important que tout le reste. Tu m'as accueilli. Recueilli… Tout ce qui compte aujourd'hui à mes yeux, c'est toi, Olivia.

J'ai envie de l'embrasser. De le prendre dans mes bras. De lui dire que je l'aime…

Est-ce que je l'aime ?

La réponse ne se fait pas attendre bien longtemps.

Oui.

Mais lui, jamais il ne me l'a avoué. Jamais il ne m'a dit ces mots que je meurs d'envie d'entendre de sa bouche. Alors je ne les dis pas, moi non plus… Cela dit, ça ne m'empêche pas de ressentir pleinement leur chaleur, leur intensité.

—Cash, s'il y a quelque chose que tu peux faire pour aider ton père, fais-le s'il te plaît. Ne l'abandonne pas pour moi. Quoi que je puisse faire pour t'aider, je le ferai. Je n'ai pas peur, tu sais…

Ce n'est qu'au moment où je prononce ces mots que je me rends compte qu'ils ne pourraient être plus sincères : je n'ai pas peur de ce qui se passera. Et c'est grâce à Cash ; à ce que je lis dans ses yeux.

—Je sens que tu ne me mettras jamais en danger. Jamais volontairement, en tout cas, dis-je en caressant sa mâchoire du bout des doigts. J'ai confiance en toi, Cash. J'ai confiance en toi…

D'une main délicate, il s'empare de mon poignet et y dépose un baiser, avant de m'attirer vers lui, jusqu'à ce que mon visage frôle presque le sien.

—Viens vivre avec moi… Je t'en prie…

Je sens son souffle chaud contre mes lèvres, et me penche pour couvrir les quelques centimètres qui me séparent de sa bouche, mais il se redresse légèrement.

—Je t'en prie…, répète-t-il dans un murmure.

Je ne le lui avouerais pour rien au monde, mais à cet instant, il aurait pu me demander n'importe quoi – n'importe quoi –, j'aurais accepté…

—OK…

À peine lui ai-je répondu que ses lèvres sont sur les miennes.

De ses mains pressées et avides, il me saisit par la taille et se retourne pour m'allonger sur le lit. Nous nous déshabillons comme si nous n'avions encore jamais fait l'amour, comme si cette fois allait être la première et que, chaque seconde, nous brûlons un peu plus de sentir nos corps nus serrés l'un contre l'autre.

Lorsqu'il me pénètre, plus rien d'autre que lui n'existe à mes yeux. Il m'envoûte sans retenue de ses saillies pleines et impatientes, et, bientôt, le monde autour de moi n'est plus qu'un cocon de feutre voluptueux.

Nous jouissons à l'unisson, et lorsque nos corps en ont fini de se raidir d'extase, Cash pose son front sur le mien.

—Avec toi, je me sens chez moi…, me murmure-t-il.

Je crois qu'à cet instant précis, mon destin a été scellé à celui de Cash. Pour toujours.

40

CASH

TANDIS QUE JE METS DE L'ORDRE DANS MON APPART, JE ME rends compte que, de toute ma vie, je ne me suis probablement jamais senti aussi confiant en l'avenir. Même avant l'explosion, je ne me sentais pas aussi… optimiste. Aussi enthousiaste.

Et pour quelle raison ?

Olivia.

Je souris et secoue la tête en pensant à elle. Elle voulait prendre une douche et faire un peu de ménage avant de venir ici, alors elle m'a proposé de prendre un peu d'avance. Cela ne m'a pas vraiment surpris. Je sais comment sont les femmes et leur besoin d'aménager avec soin leur temps comme leur intimité. Alors, je l'ai embrassée et je suis parti. Ce qui est fou, c'est que j'ai dû me faire souffrance pour partir et ne pas la rejoindre sous sa douche : je ne sais pas pourquoi elle me fait un tel effet, mais j'ai l'impression de toujours être en manque avec elle. Et même quand elle satisfait ce manque, la crise suivante n'est jamais bien loin.

Lorsque mon téléphone sonne, je le dégaine et jette un coup d'œil à l'écran. Le simple mot qui s'y inscrit ajoute à mon sourire.

Olivia.

— Dis donc, tu devrais déjà être ici. Il y a un souci ?

Elle marque une pause avant de répondre, et quand elle parle enfin, c'est avec sa voix craquante, empreinte de timidité.

— Disons que… enfin, je ne sais pas trop ce que tu as prévu qu'on fasse ce soir ; du coup, je ne sais pas trop si je dois prendre ma tenue de travail. Pareil pour demain soir…

— Tu ne l'as pas encore rencontré, mais un type m'aide à diriger le bar. Il s'appelle Gavin. Je lui ai demandé de modifier ton emploi du temps pour que tu puisses avoir ton week-end. Un week-end qu'on pourrait, disons, passer ensemble, par exemple…

Elle part d'un petit rire, puis me rétorque, un sourire dans la voix.

— J'adorerais passer le week-end avec toi à faire tout ce qui te passe par la tête, mais je ne peux vraiment pas me permettre de bouder le travail à ce point.

Je suis assez futé et assez fin connaisseur en matière de femmes pour savoir que lui proposer de l'argent serait une erreur monumentale, aussi, je me fais diplomate.

— Et si tu ne travailles que demain soir ? Avec les quelques heures que tu as faites chez Tad, ça devrait aller, non ? Qu'est-ce que tu en dis ?

— Oui, je pense que ça ira.

— Parfait ! Allez : ramène ton popotin par ici !

— Chef, oui, chef !

Et là-dessus, elle raccroche.

Je me demande si je vais m'arrêter de sourire un jour et, si je n'y parviens pas, ce que je vais bien pouvoir trouver comme excuse pour le justifier aux yeux du monde. Sauf si je décide de ne pas me fatiguer à expliquer quoi que ce soit… Avouons-le, à cet instant précis, l'avis de monsieur Tout-le-Monde, je n'en ai pas grand-chose à foutre.

Je suis heureux.

Elle est heureuse.

Et c'est tout ce qui compte.

41

OLIVIA

CASH NE M'A PAS INDIQUÉ OÙ STATIONNER, ALORS JE ME GARE juste devant l'entrée. Je sais malgré tout que je devrais trouver une autre place avant l'ouverture, sans quoi tout le monde se dira que j'ai droit à un traitement de faveur parce que je m'envoie le proprio.

Je ne peux m'empêcher d'esquisser un sourire. C'est un peu *trash*, mais je m'en cogne : je ne laisserai rien ni personne gâcher ces instants de bonheur intense. La vie les dispense de façon trop sporadique pour que je n'en profite pas pleinement tant que j'en suis capable.

Je récupère sac de voyage et sac à main sur la banquette arrière, verrouille les portières et me dirige vers l'entrée latérale qui mène à l'appartement de Cash. Des vagues d'excitation réchauffent mon ventre, tandis que j'approche de la porte, chose pour le moins surprenante si l'on considère que j'ai déjà couché plus d'une dizaine de fois avec Cash… Mais, apparemment, cela n'y change rien.

Lorsque j'arrive devant la porte du garage, elle est ouverte, et Cash, tout sourires, m'attend dans l'encadrement de la porte qui mène à l'appartement. D'une main, il m'empêche d'entrer, s'empare de mes sacs et les dépose derrière lui. Alors, un sourire malicieux sur le visage, il me soulève, me couche en travers de ses bras, passe la porte, puis la referme d'un coup de talon.

—Pas mal, non ?

J'éclate de rire.

— Disons que si tu as vraiment cherché à faire ce à quoi je pense, j'ai dû m'endormir pendant une réception importante.

Il lève un sourcil et m'adresse un regard insolent.

— Crois-moi, bébé : je ne te laisserai jamais t'endormir durant les moments les plus savoureux…

J'enserre son cou de mes bras, et il se penche pour m'embrasser. Comme chaque fois, dès que sa bouche rencontre la mienne, mes lèvres s'embrasent. Mais au-delà des flammes du désir, je sens brûler un feu tout autre, une émotion plus profonde, un sentiment plus tendre, sincère et doux ; plus authentique. Alors, mon cœur, comme mes lèvres, se fait plus ardent, et un frisson délicat parcourt mon corps.

Cash me porte jusqu'à la chambre et m'allonge sur le lit. Il s'allonge à côté de moi, mais je l'arrête… Cette fois, je veux que ce soit différent. Ce doit l'être, car ce que je ressens est différent. Ce que je veux, c'est commencer par un clin d'œil…

Je me mets à genoux et viens me placer sur le côté du lit. Silencieuse, je lève les yeux vers lui, le sourire aux lèvres, et commence à retirer son tee-shirt comme je l'avais fait le soir de notre première rencontre. Il ne lui faut que quelques secondes pour comprendre et, lorsqu'il prend conscience de ce que je suis en train de faire, il sourit et lève un sourcil, fidèle à ses réactions d'alors. Après quoi, il place ses bras en croix, comme ce soir-là…

Je glousse, tandis que je me lève sur le lit pour ôter son tee-shirt et le jeter sur le sol. Je ne pouvais pas trouver de meilleur moyen de commencer ce nouveau chapitre de notre histoire commune : c'est comme si nous en étions revenus à notre point de départ, et que le destin nous accordait une nouvelle chance. Si tel est le cas, je suis bien décidée à ne pas la laisser s'échapper.

Me remettant à genoux, je pose ma bouche contre un de ses tétons, le lèche, l'aspire jusqu'à ce qu'il s'affermisse sous ma langue. Cash grogne de plaisir.

— Dès le premier soir, j'ai su que tu en valais la peine…

Je lève les yeux vers lui et laisse glisser mes lèvres le long de son ventre, tandis que mes mains baissent sa fermeture Éclair.

—Et tu n'as encore rien vu…

Je vois à son sourire qu'il est heureux.

C'est tout ce qui compte.

Près d'une heure plus tard, Cash est au-dessus de moi, en équilibre sur les avant-bras. Cela fait plusieurs minutes que nous sommes comme ça, savourant la sensation de sa verge s'assoupissant en moi, celle de sa peau contre la mienne et le silence du monde alentour.

Lorsque Cash relève la tête et me regarde, je lis dans ses yeux un infini d'émotions extrêmes et vertigineuses, à tel point que j'en ai les larmes aux yeux. Je repense à ce qu'il m'a dit plus tôt et lui souris, puis prends entre mes mains son visage d'une beauté irréelle, avant de murmurer contre ses lèvres :

—Avec moi, tu es chez toi…

Lorsqu'il m'embrasse, je sais que, comme lui, j'ai trouvé un foyer.

Épilogue

DUFFY

CROCHETER LA SERRURE A ÉTÉ UN JEU D'ENFANT. CELA A toujours amusé Duffy que les riches se croient à l'abri de toute intrusion au seul prétexte qu'ils ont installé une alarme sur leur domaine. D'ailleurs, à cet instant précis, il éclate de rire, avant de recouvrer son calme. Par prudence.

Si seulement ils savaient combien c'est facile…

Duffy explore les pièces obscures et trouve bientôt ce qu'il est venu chercher : la chambre à coucher. À minuit, il appellera le régisseur, se plaindra que la propriétaire de cette maison a laissé sa télé allumée, et que le volume, indécemment élevé, l'empêche de se reposer. Il va alors demander que la maîtresse des lieux soit prévenue et qu'on lui impose de baisser le son. Alors, lorsqu'elle sera rentrée chez elle, Duffy sera là à l'attendre. Et sa camionnette les attendra à l'extérieur.

Si Duffy possède une qualité, c'est bien la patience, et il exécutera ses directives jusqu'à ce que sa mission soit accomplie. Et ses directives sont très précises et réfléchies. Ils n'ont besoin d'elle que le temps de récupérer les livres, après quoi, Duffy pourra se débarrasser d'eux.

Simple, efficace.

Duffy se place derrière la porte de la chambre, puis appelle le régisseur pour se plaindre. La conversation terminée, il contacte son boss.

— Oui, je vous l'apporterai ce soir. Vous aurez les livres avant l'aube. Ensuite, j'en finirai avec eux.

Duffy referme alors son téléphone d'un autre temps, le fourre dans sa poche, et se prépare à attendre celle qu'il est venu chercher.

Olivia Townsend.

À suivre…